Gustaf Wicklund

GNISTOR
från
Rimsmedjan

VALDA SÅNGER

AF

GUSTAF WICKLUND

UTGIFNA AF HANS MAKA

MINNEAPOLIS, MINN., U.S.A.
1906

FÖRORD

Biografen A. Schön berättar i den af honom för
kalendern Prärieblomman skrifna dödsrunan öfver
Gustaf Wicklund, att han råkade denne några veckor
före hans död och dervid frågade honom, om ej hans
länge närda plan att utgifva sina poetiska alster snart
skulle sättas i verket, hvartill Wicklund svarade:
"Det får vara till efter min död." Så blef det också.
Och då nu vänner till den aflidne uppfyllt hans ön-
skan och utgifvit ett urval af hans dikter, kan det i
sammanhang dermed vara af intresse att veta, att
Wicklund redan under sin lifstid en gång hade all-
ting förberedt för utgifvandet af — icke EN men
TVENNE diktsamlingar, den ena afsedd för allmän-
heten, den andra för den intimaste vänkretsen, och en-
dast genom ett oförutsedt missöde hindrades i full-
följandet af sitt uppsåt. Det var nämligen på sen-
sommaren 1889, som nedskrifvaren af dessa rader
anmodades af honom att redigera två dylika samlin-
gar. Först var det Wicklunds mening att endast ut-
gifva ett litet häfte, innehållande 25 eller 35 af hans
bästa stycken, kosta på det ett billigt klotband och
skänka det till sina vänner. Men då utsigt öppnades
för honom att få boken tryckt kostnadsfritt, ifall han
derjemte ville låta förläggarne utgifva för sin räk-

*ning en samling, som de kunde annonsera och försäl-
ja, antog han naturligtvis detta förslag. Och så blef
det beslutadt, att den för allmänheten afsedda uppla-
gan skulle innehålla blandade dikter af allmänt intres-
se, öfversättningar och en del af hans kupletter, me-
dan den andra upplagan skulle innehålla det samma
med tillägg af tillfällighetsrim och festvisor samt för-
fattarens porträtt. Denna senare upplaga skulle tryc-
kas blott i ett hundratal exemplar. Wicklund klaga-
de i ett bref öfver, att han vid genomgåendet af sina
pennalster funnit "till sin fasa, att det mesta och
minst dåliga var tillfällighetsverser." Der fans emel-
lertid tillräckligt äfven af annat att göra en rätt re-
spektabel poembok utaf, och då han öfverlät ordnandet
helt och hållet åt mig, med det enda förbehåll, att
poemet "Till min gumma" måtte sättas "först bland
tillfällighetspoemen," och med den i frågande form
framställda antydan, att "de tråkiga (allvarsamma)
rimmen" borde gå först, var det ej svårt att redigera
de begge samlingarna till hans fulla belåtenhet. Han
hade tänkt kalla böckerna "Bondförsök" och "Rim-
mad prosa," men var ej belåten med dessa namn, utan
bad mig uttänka andra. Jag mins nu ej, hvad jag
kallade dem. Men det gör detsamma, ty knappt hade
manuskriptet till diktsamlingarna återsändts till Sven-
ska Folkets Tidning, i hvars tjenst Wicklund då var
anställd, innan en eldsvåda inträffade och förstörde
det mesta af tidningens egendom. Det var den tredje
brandolycka, för hvilken tidningen varit utsatt. Jem-
te allt det andra gick Wicklunds manuskript upp i
rök. Han skref härom endast: "Jag får naturligtvis
uppgifva planen angående min bok tillsvidare."*

*Och nu ha sexton år förflutit, innan planen upp-
tagits igen, och författaren sjelf har hunnit fullborda
sitt lefnadslopp och afträda från scenen. Han afled
nämligen den 10 oktober 1905 i följd af ett slaganfall
vid ännu ej fyllda 53 år. Född i Gefle den 8 decem-
ber 1852, utvandrade han 1878 till Amerika, efter att
ha genomgått de flesta af ett högre elementarläroverks
klasser och derefter haft anställning å ett handelskon-
tor i Stockholm. Under de första åren af sin vistelse
här i landet arbetade han dels på farm, dels hos en
skräddare i Chicago. "Från pressjern och nål han
till pressen gick," sjunger han i den sjelfbiografiska
dikten "So near—and yet so far" och omtalar, att
"i eftertruppen en plats han fick bland tidningsmen-
niskors led." Härmed åsyftar han den anställning
vid tidningen Svenska Amerikanarens expedition,
som år 1882 erbjöds honom, och som han innehade
tills han i maj 1884 blef redaktör för skämttidningen
Kurre. Det var under sin verksamhet vid Kurre,
som han tillsammans med Ninian Waerner genomlef-
de de mycket omtalade s. k. "hundår," hvilka de läng-
re fram i en serie roliga, men icke alltid så strängt
sanningsenliga uppsatser skildrade i tidningen Fri-
skytten. Den sistnämda anmärkningen gäller dock
hufvudsakligen Ninians bidrag till skildringarna. Om
Wicklunds bidrag kan rättvisligen sägas, att de voro
tillförlitliga åtminstone i så hög grad, som någon
humoristisk författares berättelser kunna vara det.
Sedan Kurre i december 1887 ändrat namnet till
Svenska Kuriren och tendensen till en mera politisk,
stannade Wicklund som redaktör endast under de
närmaste två månaderna. Om sina derpå följande*

öden har han sjelf berättat: "I samma dagar hände sig, att Fritz Schoultz höll på att rafsa ihop ett teaterband, med hvilket han skulle hemsöka nordvestern. Nu hade jag gått åstad och gift mig vid jultiden i förhoppning på att vid nyåret utfå min stora fordran af min förre arbetsgifvare, $200. Min familj svalt; så gjorde Ninians. Min gumma och jag togo derför engagement. Vi spelade i Moline, St. Paul, Minneapolis, Red Wing etc., för fulla hus, mådde godt, bodde på två-dollars-hotell och hade $15 i veckan hvardera. Jag lyckades vinna egarnes af Svenska Folkets Tidning bevågenhet, så att de engagerade mig, ehuru de strängt taget ej behöfde mig."

Det var i maj 1888 han erhöll plats vid den nämda tidningen såsom biträde vid annons- och expeditionsdepartementen. I december 1890 blef han biträdande redaktör vid samma tidning, i november 1891 jemte Waerner redaktör för Friskytten och i april 1893 redaktör för Humoristen i Chicago. Fem år senare blef han medlem af Svenska Tribunens och två år derefter (d. v. s. år 1900) af Svenska Amerikanska Postens redaktion, vid hvilken han qvarstannade, nöjd och belåten, till sin död.

Om Wicklunds förmåga inom de poetiska och humoristiska områdena finnes ej mer än EN mening: Han var en ovanligt fyndig versifikatör med äkta humoristisk läggning. Små skämtsamma historier berättade han på ett lyckadt sätt. Om hans förmåga som kåsör i obunden form råda kanske olika meningar. Sjelf skattade han hvarken den eller sin öfriga skriftställarebegåfning högt, om man får döma efter följande uttryck i ett af hans bref: "Hvarför skulle

*jag egentligen någonsin börja plottra med pennan?
När jag nu läser igenom mina utgjutelser, krönikor
o. d., förefaller det mig, såsom hade en skolpojke för-
fattat dem."* Vid andra tillfällen uttryckte han sig
*i samma riktning och frågade med ängslan, om det
ej syntes af hans pennalster, att han var "utskrifven."
Dylika.infall voro dock i sjelfva verket endast utslag
af hans anspråkslösa, tillbakadragna natur.* De män-
ga tusen tidningsläsare, som njutit af hans pennalster
och vederqvickt sig af hans skämt, gifva honom sä-
kerligen en helt annan orlofssedel, än den han tilldе-
lade sig sjelf. Som rimkrönikör och i all synnerhet
tillfällighetspoet och kuplettförfattare, står han hit-
tills oupphunnen inom Svensk-Amerika, och det var
ej utan skäl han erhöll benämningen "svensk-amerika-
nernas Frans Hodell." Som artikelförfattare i den
allvarliga stilen försökte han sig troligen aldrig. Hans
natur låg icke åt det hållet. Men på de områden, för
hvilka hans skriftställarebegåfning lämpade sig, ut-
öfvade han en vidtomfattande verksamhet. På sena-
re åren utmärkte han sig särskildt genom väl utförda,
bokstafstrogna tolkningar af engelsk poesi. Sällan skref
han under sitt fulla namn, men använde desto flitiga-
re signaturer, bland hvilka följande voro de oftast
begagnade: G. W., Guck, Wis-Gucklund, Farbror,
Festis, Fröjdelin, Erik Wiman. Han var den ende
svensk-amerikanske skriftställare, som i någon nämn-
värd utsträckning försökte sig på det dramatiska om-
rådet. Lindblom, Åkerberg och Elmblad skrefvo ett
skådespel hvardera, men Wicklund skref fem (*En
öfverraskning, Kronjuvelerna på nordsidan, Vår
förening, På första maj* och *En afton på tre byttor*,

*samtliga uppförda på åtskilliga ställen här i landet
och det sista äfven i Stockholm, der det höll sig på
repertoaren en hel månad och utgafs i tryck på Al-
bert Bonniers förlag). Han tolkade dessutom Sulli-
vans operett Pinafore, som uppförts både här och i
Sverige, samt skref nya kupletter till flera äldre ko-
medier, särskildt Anderson, Peterson och Lundström.
Till karaktären var Wicklund en sällsynt godmo-
dig, vänsäll och älskvärd menniska. Sjelf medgaf
han, att man vid flyktig bekantskap med honom före
hans inträde i det äkta ståndet kunde få det intryc-
ket af honom, att han var "en lättsinnig krabat, en
varelse utan hjerta, och som andades med kallt blod
och lungor." "Men" — tillade han — "kunde du nu
se ned i mitt inre, skulle du finna, att jag ändå har
en bit af hvad man 'hjerta kalla plär,' — hvilken
bit varit min olycka." Sällan har väl ett godt hjertelag
visat sig tydligare än hos Wicklund, då han oväntadt
uppsöktes af en "på dekis" kommen f. d. sällskaps-
broder, af hvilken han länge ansett sig förorättad.
"Jag har glömt vårt gamla groll," skref Wicklund
okonstladt om detta möte, "och bjudit honom att un-
der obegränsad tid bo och äta hos mig." Hans kär-
lek till sin familj och sitt hem var djup och oförfal-
skad, och hans största sorg i lifvet var förlusten af
en dotter, hvilken afled för ett par år sedan. "Allt
från den stunden var det" — anmärker hans minnes-
tecknare i Svenska Folkets Tidning — "flera däm-
pade strängar än gladt fria på poetens lyra, och han
ville och kunde ej så ofta vara glad och rolig som
förr."*

Från och med Wicklunds giftermål och hans kort

*derefter skedda inträde vid Svenska Folkets Tid-
ning kan räknas ett omslag i hans vandel, sätt och
lefverne, som lät hans goda egenskaper framträda och
komma till sin fulla rätt. Han blef mer stadgad, mer
karaktärsfast, fick en allvarligare syn på lifvet och
dess kraf och gaf t. o. m. intryck af en helgjuten
personlighet. Det forna lefnadssättet hade förlorat
all sin tjusning för honom. Denna förändring ut-
tryckte han träffande i den sällspordt vackra bikten
"Till min gumma" i orden:*

> *"Men tiden och förnuftet skingrat villan.
> Nu är min himmel blott hos dig och lillan."*

*Wicklund var mycket musikalisk, god sångare och
stor sångarevän. Han var en af stiftarne af sång-
föreningen Orpheus i Minneapolis år 1889, stiftade
1891 en annan sångförening, var med om att stifta
Svenska Sångarförbundet i Amerika 1892 och valdes
till dess förste vicepresident. Hans glädje öfver sin
äldsta dotters musikaliska begåfning och öfver sin
egen lycka att kunna kosta på henne en god musi-
kalisk utbildning var omisskännelig. Han var, trots
skämtsinne, humor och skenbar realism, ideelt an-
lagd, och hans sinne var djupt estetiskt. Hade han
fått lefva längre, hade detta nog kommit mer och
mer att visa sig. I likhet med så många andra pen-
nans män var han emellertid en dålig hushållare.
Den behållning, han i detta afseende hemtat för sin
utbildning från sin verksamhet som "en siffrornas
man" vid handelskontoret i Stockholm, var skäligen
klen. Ända till hans lefnads slut gällde, hvad han
skref om sig i det ofvan nämda sjelfbiografiska poe-*

met, "So near—and yet so far": "*Han glömde den gyllene regeln: Spar!*" *Det låter under sådana omständigheter lätt tänka sig, att han, trots all god vilja, all ömhet om de sina och all sin önskan att kunna ställa det väl för dem, icke lyckats göra deras väg EFTER makens och faderns frånfälle lika jemnad, som den var, medan han lefde. Det är också för att i någon mån upphjelpa detta förhållande, som denna diktsamling tillkommit. Den är utgifven till förmån för den aflidne diktarens efterlemnade enka och dotter, och vi hoppas, att den allmänhet, som så ofta roats af diktaren, medan han lefde, nu må visa sin erkänsla genom att köpa boken och dymedelst i sin mån bidraga att förljufva de efterlefvandes lott.*

ERNST SKARSTEDT.

Laton, Cal., den 29 jan. 1906.

ALLVARLIGA SÅNGER
OCH
HÖGTIDSSÅNGER

TILL MIN GUMMA

När förr jag dvaldes uti nöjets vimmel,
  Mig syntes hvarje vackert kvinnoöga,
Som log emot mig, vara just en himmel
Lik den, man anar ofvan molnen höga.
Men tiden och förnuftet skingrat villan.
Nu är min himmel blott hos dig och lillan.

?

Hvar är den urkraft väl, som allting styr?
Hvem tänder morgonsol, förr'n dagen gryr?
Hvem skapte vattnet i den lilla bäcken?
Hvad är idén väl med ett mänskolif,
Med fröjd så flyktig och med strid och kif?
Ack, svaret blifver blott ett frågetecken?

I filosofer med er lärdom stor,
Säg mig, hvar anden efter döden bor,
I som så djärft till flykt er tanke sträcken!
Ert lärdomsljus, tyvärr, är alltför matt;
Det ej belyser evighetens natt,
Det slocknar ut vid grafvens frågetecken.

VÅR OCH UPPSTÅNDELSE

Naturen vaknat ur sin sömn så lång,
Som den i starka fjättrar hållit bunden,
Och fåglaskaran stämmer upp sin sång
Att prisa Skaparen i gröna lunden.
Af sällspord känsla män'skans hjärta slår
Vid tanken på uppståndelse och vår.

Den späda sippan slår sitt öga opp
Och finner värme ifrån solens lågor,
Och bäcken muntert hastar i sitt lopp
Att gifva sin tribut till flodens lågor.
I ljusgrön skrud snart te sig skog och mark,
Och safven sipprar ifrån trädens bark.

Uppståndelse förspörjes öfverallt,
Från bärgens höjder till de djupa dalar,
Naturen i sin fagraste gestalt
Ett mäktigt språk till jordens söner talar
Och minner klart om Gudasonen än,
Det fallna män'skosläktets bäste vän.

Han är uppstånden! Himmelskt sköna ord,
Hvad tröst och härlig fröjd de innebära
Hvad ljufligt budskap för en syndfull jord,
Som var sitt straff för evighet så nära!
Se, grafven återburit har sitt lån —
Han är uppstånden, Människones Son.

DEN HIMMELSKA HÄRSKARANS HÄLSNING

Herdar höllo vakt om hjorden
 I den hälga nattens timma,
Och för dem var afsedd vorden
 Utaf himlens ljus en strimma.
Se, hur änglaskaran sänker
 Sina silfverhvita vingar
Och åt jordens söner skänker
 Budskap skönt, som frälsning bringar.

"Rädens ej!" ljöd änglarösten,
 "Glädje stor jag er bebådar."
Den blir skänkt den högsta trösten,
 Som blott Jesusbarnet skådar.
I sin krubba uti stallet
 För ett sjunket mänskosläkte,
Syndigt ända sedan fallet,
 Detta Barn all skuld betäckte.

Härligt ljuder denna hälsning,
 Klingande med änglatoner;
Den på jorden gifvit frälsning
 Åt millioners millioner,
Gifvit ljus åt mänskoanden,
 Som i mörker varit sluten —
Skänkt, se'n lösta voro banden,
 Evigt lif i dödsminuten.

Ära vare Gud i höjden!
 Jublar nu den frälsta skaran.
Han oss skänkt den sanna fröjden,
 Räddat oss från syndafaran.

Och hans Son för oss har stridit
  Emot mörkrets grymme förste,
Och för oss han döden lidit,
  Gudamänniskan den störste.

Frid på jorden — ljufva maning —
  Frid och lycka i förening.
O, att folken hade aning
  Om de ordens djupa mening!
Då med ens den bittra striden
  Skulle mer ej dominera,
Men den gudaborna friden
  Finge städse då regera.

Människorna en god vilja —
  Faderns välbehag för barnen;
Han från ondsko vill dem skilja,
  Snärjda uti syndagarnen.
Han dem skänka vill förskoning,
  Leda dem, när blindt de famla,
Och uti sin ljusa boning
  Sist dem alla kring sig samla.

JULMINNEN

När julens högtid åter randats har,
  Då grips af vemod svensk-amerikanen.
Han minner sig sin barndoms ljufva da'r,
Och hur han gladdes åt den tända granen.
Väl var den ej så prålande som den
Han tänder nu i egna hemmet, men
Vid den sig knöt så månget dyrbart minne,
Som hägrar för hans vemodsfulla sinne.

Han minnes vandringen till ottan väl
På snöig stig i arla morgontimma.
Af julefröjd blef fyld hans unga själ,
Då han såg stjärnorna på fästet glimma,
Och blossen lyste med en mystisk glans —
En härligare syn väl aldrig fanns,
Då fönstren glimmade så skönt i kyrkan,
Där Jesusbarnet skulle ägnas dyrkan.

Därinne strålade väl tusen ljus,
Och sällsamt syntes honom folkets vimmel,
Men när från orgeln kom ett mäktigt brus,
Då syntes tämplet honom som en himmel.
Och när uti de gamla hvalfvens rund
Det ljöd: "Var hälsad, sköna morgonstund"
Och sedan gripande ett "Hosianna" —
Då var hans önskan att där städs få stanna.

Den gamle pastorns ljufva budskapsord,
Att "oss är födt ett barn", så härligt ljödo,
Och orden föllo uti godan jord,
När ljuf försoning honom blott de bjödo.

Då hade han sin fromma barnatro,
Och otrons törnen icke börjat gro,
Ty han förlitade sig blott på Herran,
Och onda tankar voro honom fjärran.

Som här var julen ej därhemma kort,
Och länge varade väl däraf minnet,
Ty julefröjder utaf mången sort
Förmådde glädja späda barnasinnet.
Och enkel var nog ofta mången fröjd,
Men med så litet då han var förnöjd,
Ty oerfaret ännu var hans hjärta
Och icke tyngdt af pröfningar och smärta.

Om gamla Sveriges väna, sälla jul
Så troget svensk-amerikanen drömmer,
Och är palats hans boning, eller skjul,
Sin barndoms största högtid han ej glömmer,
Ty julens klara stjärna honom är
Till tröst och ledning under loppet här,
Och däraf fastare blir knutet bandet
Emellan honom och det gamla landet.

NYÅRSTANKAR

Det gamla årets timglas runnit ut,
  Dess lefnadslopp har hunnit till sitt slut.
Och växlingsrik förvisso var den färden.
Kring jordens vida rymd ett budskap går,
Att enligt tingens gång ett annat år
  Vid midnattsklockors klang är födt till världen.

Än är det nya året blott en pilt,
Hvars ögon le så oskuldsfullt och mildt,
  Då öfver världen undrande han skådar.
Men då han syner ser af skilda slag,
Allt tyckes vara honom till behag,
  Ty *godt nytt år* strålkastaren bebådar.

För hvarje gång ett nyår träder in,
Står mänskosläktet med ett hoppfyldt sinn',
  Men undrande och bäfvande tillika.
Hvad kan den lille föra i sin sköld,
Månn' ljus och värme — mörker eller köld?
  Skall folkens hopp han fylla eller svika?

Du lille drott, af Fader Tiden krönt,
Gör mänskobarnens lif så godt och skönt,
  Så länge din regering synes vara!
Från dina landamären ondskan drif
Och landsförvisa falskhet, split och kif
  Samt fräls oss från bekymmer, sorg och fara!

Och torka bort hvar sorgens bittra tår,
Gif läkedom åt alla hjärtesår,
  Sprid ljuf försoning uti folkens sinne!

Låt alla krigsmoln ifrån fästet fly
Och gifva rum för fredens rosensky! —
　Välsignadt evigt skall då bli ditt minne.

För de förtryckta uti alla land
Slit träldomsbojorna med vänsäll hand,
　Att härlig frihet för dem månde knoppas! —
Dock — öfver allting, som du för oss har,
Ett täckelse Försynen huldrikt drar,
　Och oss blott återstår att hoppas — hoppas.

GODT NYTT ÅR!

R ing ut det gamla året, ring in det nya,
　Som ler åt världens dårskap med blickar krya
Och liknar i sin oskuld ett nyfödt barn,
Som ännu ej är snärjdt uti ondskans garn.

Hvad bär väl detta barnet uti sitt sköte,
Hvem vet, hvad på sin bana det går till möte?
Skall fridens ängel följa det nya år?
Skall stridens hemska ande gå i dess spår?

Skall snart förlossning stunda för de förtryckta,
Skall tvedräkts mörker skingras af endräkts lykta,
Säg, skall det goda segrande bli till slut,
Se'n kampen mot det onda är kämpad ut?

Och skola de stå kvar, Europas troner,
Som hittills de ha stått, och af millioner
Få sin afgudadyrkan och tunga skatt,
Skall nu ej morgon följa på slafvens natt?

Här finnes ock en tron, stark förutan like,
Som Mammon har byggt upp i Columbi rike;
"Kung Dollar" är regenten, så hård och kall —
Månn' icke snart det stundar, hans snabba fall?

Jo, låtom oss få hoppas, att hvad det lider,
Det nya året bringar oss bättre tider
Och städse förer med sig som älskad gäst
Välsignelse just dit, där den höfves bäst.

Ring ut det gamla året, ring in det nya,
Som ler åt världens dårskap med blickar krya;
Till detta nya året vårt hopp nu står,
Och därför lyder önskningen: Godt nytt år!

———————

GRAFSMYCKNINGSDAGEN

Högtidlig stod kyrkogården,
   Och majsolen log så blid
Mot prydliga marmorvården
Och träkorset där bredvid.

Det städ's på grafsmyckningsdagen
Var lif i de dödes land,
De tappre, som föllo i slagen
För frihet med själ i brand.

Åt deras minne, som blödde
För färgade brodrens skull,
Man blommor som vanligt strödde
I mängd på den vigda mull.

Soldater i processioner
Där syntes med hårda drag,
Där spelades kända toner
Från stridens och ärans dag.

Och veteranerna höllo
Så stolt månget stjärnbanér,
Och fäst-talar'ns fraser föllo
Som slagsvärd i hopen ner.

* * *

Men borta där på en stubbe,
Så dyster och så allen,
Där sitter en skröplig gubbe,
En gammal och trasig en.

Dock var äfven han i stormen
Och striden i forna dar;
Nu ägde af uniformen
Han ej mer än mössan kvar.

Han hade haft pröfningsstunder
Och motgångar tusen slag;
Till sist nu han dukat under,
Ett offer för ödets lag.

Hans hjärta var nästan fruset,
Så tung var hans hårda lott,
Han bodde på fattighuset,
Där sist han en fristad fått.

Han klagar: "O, grymma öde,
Som armod och skam mig gaf!
Ack, vore jag bland de döde
Och hade, som de, en graf!"

Sitt trötta hufvud han lutar
Mot stubben, där förr han satt.
Han drömmer om sorg, som slutar
Först en gång i dödens natt. — — — —

*   *
*

Snart finnas på kyrkogården
Af gäster från lifvet ej fler;
Ty majsol'n mot marmorvården
Och träkorset mer ej ler.

Fast skymningens dunkla slöja
De dödes bostad re'n nått,
Den gamle dock synes dröja,
Han sofver så trygt, så godt.

Han sofver — att mer ej vakna
Till lidande, sorg och nöd.
Hvad kan han väl nu mer sakna?
Den trötte krigarn är död.

Om ingen hans hjältedater
Stor hyllning och blommor gaf,
Han fick dock bland stridskamrater,
Hvad städse han önskat — en graf.

FINLANDS ÖDE

På tronen sitter Rysslands grymme zar
   (Som fridens språk dock städs för på sin tunga!)
I bojor arma Finland lagt han har,
   Förnedrande för gamla och för unga.
De slafvar äro vordna väl till slut,
Och folkets frihet har han plånat ut.

Men hämdens ande vaknat, och dess makt
   Har genomträngt den krossade nationen.
En dag, i trots utaf kosackers vakt,
   Skall budet därom tränga sig till tronen,
Förkunnande att slipad är den dolk,
Som ämnad är att hämnas Finlands folk.

Och finge detta på sin sida då
   Ett annat folk, som vore stort och äradt,
Som djärfdes emot ryske björnen stå
   Och slå ett slag mot denne, oförfäradt,
Då skulle Finland hämnas våldet allt,
Och Rysslands karta få en ny gestalt.

Dock många i vårt gamla systerland
   Förlossningsdagen icke kunna bida,
Och därföre Columbias fria strand
   De nalkas öfver oceanen vida.
Här lyckans sol skall åter mot dem le,
Men gamla Finland aldrig glömma de.

"DEN GULA FARAN"

"Den gula faran" fruktar jag ej för,
Fastän om denna dagligdags man hör
Och därom hört förut så många gånger.
Jag älskar Japan — namnet innebär
För mig en vår af blomsterdoft så kär,
En konst så skön och underbara sånger.

Visst är japanen ansedd som barbar,
Men han ådagalagt att mod han har,
Men äfven ädelmod — och det är mera. —
Helt nyligen jag en legend har hört.
Som öfvermåttan har mitt sinne rört
Och kommit hjärtats strängar att vibrera.

Det var en gång en pilt i Japans land,
Som vid sin far var fäst med starka band,
Men denne kom för fiender i fara.
En dag de lyckades ta honom fast
Och höggo af hans hufvud uti hast,
Men vissa syntes de dock icke vara.

Ty hufvudet de stälde på ett bord,
Och pilten, hvilken hämtades, blef spord,
Om det var fadrens — bittra sorg och smärta!
Och gossen, som förtviflans marter led,
Då ödmjukt böjde sig mot jorden ned
Och stack en knif uti sitt unga hjärta.

Hans faders hufvud dock det icke var;
Den lille blott sig offrat för sin far,
    Att tillfälle till flykt blef denne gifvet.
Och genom detta dåd sig hände så,
Att fienderna blefvo vissa på
    Att de den rätte hade brakt om lifvet.

*　　*

*

"Den gula faran" fruktar jag ej för,
Men gör för Japan och dess folk honnör —
    I farans stund man lär sig sig dem att skatta.
Mikadons bild betrakta, vänsäll, mild,
Och sedan zarens, fruktansvärd och vild!
    Då skall måhända du min åsikt fatta.

VID HERMAN STOCKENSTRÖMS BÅR

Den 4:de november 1902

Broder och kamrat — du kämpat ut,
Och din jordevandring gått till ända.
Därför vi med sorgset sinn' till slut
Dig en sista afskedshälsning sända.
Snart ditt stoft till grafvens djup har nått —
Anden, frigjord, dock mot höjden gått.

Ibland svensk-amerikanske män
Sällan skådade vi än din like:
Ty du städse snarare var vän
Till den fattige än till den rike.
För de obemärkta, för de små
Städs du var beredd i strid att gå.

Och du kämpade med manligt mod
För att folket och dess rätt försvara.
Käck och orädd du i kampen stod
Och gaf föga akt på egen fara.
Bruten ligger väl till sist din lans,
Men ditt minne lefva skall i glans.

Ty du fylde städs ditt värf med flit,
Aldrig, aldrig sågs du plikten svika.
Outtröttligt var förvisst ditt nit
Och ditt ädla sträfvande tillika.
Afton kommit efter dagens id,
Och du hvilar uti stilla frid.

Skaldekonstens gudagåfva dig
Rikligare gifven var än mången.

Och med känsla varm, förunderlig.
Tjusning spred du ibland oss med sången,
Som sin väg till hjärtats schakter fann.
Tröstande och ädel, ljuf och sann.

Aldrig glömma vi ditt ädla skick
Och ditt hjärtevarma sätt att vara.
Aldrig glömma vi din trogna blick;
Minnet däraf städse vi bevara.
Uti den sågs själens adel bo,
Allvar mildt och hedersmannatro.

Titlars klang och äreställens glans
Voro för ditt stilla sinne fjärran.
För hvar seger som utaf dig vanns
Gaf med ödmjuk själ du pris till Herran.
Det var Han som styrka gaf och mod,
Då i lifvets strid du ädel stod.

Broder och kamrat — sof godt i ro —
Öfverallt hvar våra landsmän finnas
Skall din bild i deras hjärtan bo.
Skola de ditt ädla lifsvärk minnas,
Ty du tröst och tjusning städs dem brakt —
Herman Stockenström — tack för god vakt!

VID MAGGIE OSTROMS GRAF

Den 18:de december 1889

Nys: en blomma lik i knoppning
Stod du ibland oss på jorden,
Allas glädje och förhoppning,
Skön en dotter utaf Norden.
Allt var idel ljus och fröjd —
Du var lycklig, du var nöjd.

Men så kom han, dödens ängel,
För att i sin famn dig trycka
Och han bröt vår liljestängel
Och han sköflade vår lycka.
Hemmets sol, som lyste gladt.
Bytte han till grafvens natt.

Dock: oss höfves ej att sörja,
Ej att sucka eller klaga.
Och det höfves ej att spörja,
Hvad som Herren må behaga.
Döden var hans budskap blott.
Evigt lycklig är din lott.

Nu farväl, du väna lilja,
Frigjord ifrån världens vimmel.
Han, som oss behagat skilja,
Skall oss ena i sin himmel,
Där vi evigt skola bo — — —
Hvile nu ditt stoft i ro!

TILLFÄLLIGHETSDIKTER

VÄLKOMSTHÄLSNING

Till Västra Afdelningen af Svenska Sångarförbundet i Amerika
vid Sångarfästen i Minneapolis 1903.

Välkomne hit till Mississippis strand,
I svenske sångare från skilda trakter!
I sätten våra hjärtan uti brand
Med sångens underbara trolldomsmakter.
En härligare syn väl icke fanns
Än sångarmössor uti solens glans;
När vi förtjusta dem ibland oss skåda,
De ädel fröjd och njutning oss bebåda.

Ej ha vi mycket just att bjuda på —
Det måste vi helt öppet först förklara,
Men kunnen I vår afsikt blott förstå,
Då må väl oron och bekymren fara,
Vi ha ett stycke äkta svensk natur —
Det får väl gälla något, eller hur?
Och gammal nordisk gästfrihet tillika
Vi skola bjuda till att icke svika.

Ja, svenska tärnor hafva vi också
— Det bören främst I lägga uppå minne —
Med gyllne lockar och med ögon blå,
Med nordisk fägring, blygsamt jungfrusinne.
När edra toner först till dessa nå,
Och återklang i deras hjärtan få,
Då skolen I nog se, förrän I farit,
Att fruktlös ej er sångarfärd har varit.

Vi sångens gudasköna planta fått
I arf från fäderna i höga Norden
Och minnesgoda, under tid som gått,
Vi omplanterat den på nya jorden.
Den plantan blifvit lämnad i er vård
Att fostras uti konstens rosengård.
I fyllt ert värf med heder, sångarbröder,
Ty härligt prunkande den rosen glöder.

Och under kif och strid hos Onkel Sam
Oss svenska sången höfves på vår bana,
När till att hinna främst mot grafven fram
Ju tidens oro mänskorna syns mana.
Då kommer sången, lugnande och blid,
Och dyster oro flyr sin kos därvid —
Då träda fram så många gömda minnen
Och söfva våra äflansfulla sinnen.

Och nu till sist vi ha en hälsning än;
Hell dig, du unga käcka sångarskara!
Hell er, I pröfvade och mogne män,
Som älsken högst att bland de unge vara!
Må slutligen utöfver jordens rund
Det blifva kändt, ert väldiga förbund,
Och nya lagrar städs för eder grönska — —
Välkomne vi er alla hjärtligt önska.

BREF FRÅN EN SÅNGARBRODER

M in käre bror!
 Om intet hinder möter,
Kom till mig om en vecka från i går,
Ty jag likt "Fader Berg i hornet stöter",
Emedan denna dag jag fyller år.
"Hur skönt det är" i glada vänners skara —
 "Bort allt hvad oro gör" vid sångens klang! —
Så kom bestämdt! "Hvi skall du fjärran vara?"
Men får du brådt, så spring som "källan sprang".

Och många sångarbröder, som du känner,
 Uti mitt hem du nog skall stöta på.
Jag bjuder: "Skratta, mina barn och vänner" —
 "Hvem är som ej" vill vara lifvad då?
En ädel håg i allas sinnen röjes,
 Du finner "mandom, mod och morske män,"
Och plötsligt "sångarfanan åter höjes" —
 Ack, "hör hur härligt sången skallar" än!

"I djupa källarhvalfvet", nedom svalen,
 Det finnes varor som jag hämtar opp,
Och "höjest löfter jeg da guldpokalen",
 När "vinet fradgar" i sitt ystra lopp.
"Glad såsom fågeln" uppå blomsterängar
 Jag sångarhälsning bringar fram med makt
Uti ett kraftigt: "Hör, I Orphei drängar",
 Gif akt! "Stå stark, du ljusets riddarvakt"!

Och "stilla skuggor breda sig i kvällen",
   "Re'n mörkt det blir", och necken — får man tro —
Så "djupt i hafvet på demantehällen"
   Likt "krigarn hvilar sig" i ljuflig ro — —
Då går min gumma, "lilla snälla Greta",
   Min "klara stjärna", som jag älskar ömt,
Till skafferiet, där hon fram skall leta
   En liten sexa, som för oss hon gömt.

Men skulle du utaf aptit ha föga,
   "O, yngling, om du hjärta har", så tag
En liten en, "så klar som hennes öga" —
   Och ditt exempel följs nog i vårt lag.
Se'n har jag sill, you bet, af "Norges bæste",
   Och "ja, vi ælsker" hör man städs om den.
Och ibland oss helt visst de allra fläste
   Nog också nästa dag sig önska den.

Men efter "fröjd i hjärtan och pokaler"
   Det blir: "Så lunkom vi så småningom",
Och kanske vinglande i natten svaler
   Du hör en röst som från polisen kom:
"Hvarthän, hvarthän på nattlig dunkel bana?"
   "Säg oss ditt namn" — då fattar du så vig
Hans arm och svarar, förr'n han kan det ana:
   Du byling stark och stor, "jag hälsar dig!"

TILL SÅNGARBRÖDERNA

Vid Skandinaviska Sångarförbundets fäst i Minneapolis 1891.

Välkommen jublande sångarskara
   Från när och fjärran, från dal och höjder!
Till sångarfäst och till sångarfröjder
Du månde trefaldt välkommen vara.
Nu flykte sorger och dystert tvång,
Men klinge gladt skandinavisk sång.

Hvarhälst vår vagga än stod i norden,
I Danarike vid Sundets stränder —
I gamla Svea och Göta länder —
Vid Nores fjäll eller fagra fjorden —
Vi varit städs' under seklers gång
Ett folk i saga, ett folk i sång.

Och sångens makt är föreningsbandet,
Som nu oss alla har dragit samman.
Och glädjens gud under skämt och gamman
Sitt hägn oss ger i det nya landet.
Och sången ljuder på fjärran strand
Så kraftfullt skön som i Nordanland.

Hvad sällsam trollmakt i dessa toner!
De bana vägen till hjärtats schakter.
De äro segrande, starka makter
I skilda länder med dess nationer,
För pris och undran blott föremål,
Med klang af silfver, med klang af stål.

Och därför, nordiska sångarbröder,
Vår sång må ljuda, som glädje väcker! —
Till hvarje stat vårt förbund sig sträcker
Från haf till haf, ifrån norr till söder.
Ja, kanske fira vi gladt härnäst
I Skandinavien sångarfäst.

COLUMBUS-VISA

Christofer! ditt lof vill jag sjunga,
Och ej uppå loford jag spar,
Förkunna för gamla och unga
Jag skall, hvilken storman du var.
Dock har jag, gudnås, mina brister
Och kan ej få fram en kantat
Att sjungas af kör och solister
Med anledning af din mandat.

Nej, uti den enklaste visa
Jag ägnar ditt minne min gärd.
Må den mera högstämdt dig prisa,
Som blifvit med snille beskärd!
Jag blandar min blygsamma stämma
Bland jublande fästskarors stim,
Då märks ej den fasliga klämma,
I hvilken jag råkar — för rim.

Ej Ferdinand, ej Isabella
I dag skola rosas af mig;
I skuggan jag begge vill ställa

Och nu endast framhålla dig,
Som stod uppå Santa Maria
Så tapper, så ädel i håg
Och västerut drog på det fria,
Oändliga världshafvets våg.

Ditt fartyg var uselt och bräckligt,
Besättningen var "si och så";
Ditt hjältemod var dock tillräckligt
Att stormen och knotet bestå,
Och fast du ombord hade präster,
Som sökte att hämna ditt lopp,
Du styrde dock troget mot väster,
Så full af förtröstan och hopp.

Och efter otaliga strider
Sig tedde en främmande strand
Då hade du funnit omsider
En värld — dina aningars land! —
Men ville jag något här dröja
Vid lönen man härför dig gaf,
Din vålnad nog skulle sig höja
Förbittrad ur seklernas graf.

Dock firas med jubel ditt minne
Af folkslag från zon och till zon,
Och tacksamhet bor i hvars sinne
Här uti vår fria nation.
Den värld, som du upptäckt, är vorden,
Trots olycksprofeternas skri,
Dock frihetens stamort på jorden
Och så skall beständigt den bli.

TILL SÅNGARBRÖDERNA

Vid Svenska Sångaiförbundets första Sångarfäst i Chicago 1893.

I glade, sjungande svenske bröder,
Af hjärtat välkomne allihop!
Likt julisolen vårt sinne glöder,
Vi hälsa eder med jubelrop.
För er vi väggar och fönstergluggar
Med Sveriges blågula fanor klädt,
Åt er vi bjuda de fylda muggar,
Som sångarbröder städs' fröjd beredt.

I våra runor allt med den äran
På sångens område fören här.
Med sångarmod utan all förfäran
Er väg förvisso till seger bär.
Den svenska sången kan spetsen bjuda
Allt åt en värld med sin klang så stark.
Och svenska toner nu skola ljuda
I sångartemplet i Jackson Park.

Betrakten eder som barn i huset,
Hvarhälst I ingån i våra tjäll
Från första gryning af morgonljuset,
Tills dagen ändats i sommarkväll!
I ären dagens, ja fästens stjärnor;
•Ty läggen icke på sinnet tvång,
Men tjusen fritt våra svenska tärnor
Med eder klingande svenska sång.

Ja, sjungen, sångare, sjungen bitti'
Och sjungen sent, om det roar er;
Förty the freedom of our city
Vår Carter Harrison eder ger.
Låt hvarje man vara glad och yster
Och rasa fritt uti ungdomsglöd!
Ja, tryggt I kunnen, om det er lyster,
Nog "måla staden en smula röd."

Må denna fäst — i sitt slag den första —
Bli efterföljd utaf många fler!
Vår sångartropp blifve städs den största,
Som Onkel Sam ibland nordbor ser!
Må afundsjukan, den gamla svenska,
I edra led ingen hemvist få —
Och då med tonerna fosterländska
Till tusen segrar I skolen gå!

TILL DE NORSKE STUDENTSÅNGARNE

Uppläst på den bankett, som Odin Club i Minneapolis gaf för dem d. 29 maj 1905

Välkomne jag af hjärtat hälsar er
    Till fjärran kust, i norske sångarbröder!
Där allt sig uti vårens färgprakt ter,
    Där sippan blommar, och där majsol glöder.
Som vikingar ni dragit ut på våg
Att allt besegra på ert sångartåg.

Ert hemland nu i härlig fägring står,
    Och lång är dagen där, och ljus är kvällen,

Och eder sång, som skönt till hjärtat går
Är född emellan fjordarne och fjällen.
Den liknar forsen i dess vilda brus,
Den liknar björken med dess milda sus.

Den ger utaf vårt dyra broderland
En härlig och en trogen illustrering.
Ni lagrar vunnit ifrån strand till strand
Med sammansjungning och med nyansering.
Hardangerfjorden ni på sångens fält
Med Dovrefjället i förening ställt.

Det ligger något trotsande och käckt
I edert norska språk och friska toner,
Som har vår kärlek, vår beundran väckt
Och fört oss hän till högre regioner.
Vi glömma hvardagslifvets små besvär
För norsk studentsång, som den sjungits här.

Med sorg i hjärtat vi tyvärr försport
Att nu därhemma råder tvedräktsanden,
Som, född af missförstånd och fördom, gjort
Att splittrade stå bägge brödralanden;
Dock vinns väl sammanslutning än en gång
Med eder norska och vår svenska sång.

Välkomne uti vårt norsk-svenska lag,
Du sångartropp, du Norges hopp och kärna!
Till våra brödraland en hälsning tag:
Må fredens genier dem båda värna!
Vi aldrig glömma edra toners klang —
"Tak for I kom, og Tak fordi I sang!"

BELLMANSDAGEN

Vid tanken på de kära djurgårdslunder
   Mitt hjärta slår med dubbelt raska slag.
Jag lefver upp i minnet herdestunder
Från mången säll och fästlig Bellmansdag.
Bland ekar ser jag bysten och därunder
Så många tusende af glada lag,
Som samlats för att skaldens minne fira
Och friska kransar ikring bysten vira.

* * *

Carl Michael! Du störste ibland skalder,
Som under seklers lopp i Norden fanns!
I sången Brage lik och mild som Balder,
Du kröntes af ditt folk med lagerns krans,
Och dina sånger likna esmeralder —
Blott återsken ifrån ditt snilles glans!
Du herrskare i sångens sköna rike,
Ej Norden, världen ens ej såg din like.

Ty underbara toner från din lyra
Sig banat väg till svenska folkets bröst,
När, svärmande i helig sångaryra,
Du tjusning spridt med klangen af din röst. —
Än väckas hos den gamle minnen dyra
Vid Bellmanssången i hans lefnads höst;
Ty tonerna, du lärde oss att sjunga,
De likna våren — äro evigt unga.

När skön naturen syntes mot dig pråla,
För Floras rike var du städs en tolk.
Hvem visste väl, som du, i toner måla
Vår svenska sommar för vårt svenska folk? —
Fritt pietismen emot dig må skråla
Och höja mot ditt minne lömskt sin dolk;
Din sång, så fri, af inga fjättrar bunden
Än lefver — eken lik i Djurgårdslunden.

Om i din sång din dyrkan du har delat
Åt Freja och åt Bacchus, så hvad mer? —
Djerfs väl den fromme säga att du felat,
Hur kortsynt han för öfrigt tingen ser?
Förstår han sången du på lutan spelat
Och andemeningen, som klangen ger? —
Ack nej! Den helga glöd, som bor därinne
Ej mäktar värma upp hans frusna sinne.

Dock än i dag din sång så härligt klingar
Från Avasaxa ned till Sundets strand,
Och minnets eko tonerna oss bringar,
Oss främlingar från fjärran Nordanland.
Mot Norden tanken uti sång sig svingar,
För en gång fri från hvardagslifvets band;
Ty Sveas söner, Sveas döttrar minnas
Din sång, hvarhälst de än i världen finnas.

PÅ "SYTTENDE MAI"

Tag på dig din allra som bästa habit,
  Släng i dig en sill och en stor aquavit,
Formera en väldig och stor procession
Och tala beständigt med fräckaste ton
  På "syttende Mai"!

Högt sväfve i luften den reneste Flag!
— Den väcker vår medömkan — icke vårt agg —
Fritt vrövle du grundligt om norsk republik!
Det smeker ditt öra som härlig musik
  På "syttende Mai"!

Gör ned konung Oscar och dito hans son!
— De märka det icke så långt härifrån —
Och uppträd med hån emot allt som är svenskt,
Det låter så präktigt, så sannt fosterländskt
  På "syttende Mai"!

Mot unionsmärket du drage i strid;
I Norge det fins — och det blifver därvid.
Men hur du "den syttende" skräflar kavat,
Jag tror, du dig håller till "Sildesallat',
  Påföljande dag!

APROPÅ FJÄRDE JULI

Prisa det land, som oss tagit emot
Här i den vilda väster —
Som undan stormar, bekymmer och hot
Räddat oss såsom gäster!
Sjung om de hjältar, som ryckte vårt land
Undan de hårda förtryckareband,
Hipp och hurrah för vår fria strand —
    Lefve den Fjärde juli!

Sjung om de kämpar, som offrat sitt blod,
Som hvila i marmorgrifter,
Sjung George Washingtons drapa, så god,
Prisa i dag hans bedrifter!
Hurra för honom vid flaggornas svaj!
Minnet förtjänar att firas, oh my!
Aldrig i lifvet "he could tell a lie" —
    Lefve den Fjärde juli!

Hurra och skrik från morgonens stund
"In a true American manner"!
Sjung med behag och af hjärtans grund,
Högst dock "The Star Spangled Banner"!
Tag dig en fridag i vännernas lag,
Njut af din frihet i fulla drag,
Mins, att i dag är frihetens dag,
    Härliga Fjärde juli!

Skjut upp raketer med stjärnor uti,
Fyra af "firecrackers"!
Har du ej plats för ditt fyrvärkeri,
Hyr dig ett par, tre acres!
"Romerska ljus" sänd mot himmelens höjd!
"Solar" och "svärmare" gifva dig fröjd,
Och med din dag skall du blifva så nöjd,
    Just med din Fjärde juli.

Bed, att från olyckors hiskliga rad
Städse Försynen oss värje!
Tacka din Gud, att du slipper, så glad,
Lefva i toppridna Sverige!
Här kan du lätt vinna önskningens mål,
Blott du presterar en vilja af stål — —
Därföre åter betonas det tål:
    Lefve den Fjärde juli!

VERSER

Upplästa af "Majbruden" på Svithiods Vårfäst å Nordsidans Turner Hall
den 5 maj 1900.

Då först de nalkas, vårens förebud,
 Då jorden kläder sig i grönan skrud,
Och vårsol strålar öfver dal och höjder,
Då samlas åter Svithiods brödralag
Att fira vårfäst allt med friskt behag
Och njuta för en stund af lifvets fröjder.

Men ibland Svithiods välbekanta led
Se'n gamla tider har det varit sed
Att städs vid dessa fäster majbrud kröna,
Och mången landsmaninna säkert har
I ljuflig hågkomst någon majfäst kvar,
Där slik en sällspord heder hon fått röna.

I år har lotten fallit uppå mig,
Och blomstersmyckad vorden är min stig
— Den skönaste förvisst af alla lotter —
Med tacksamhet jag blomsterkronan bär,
Och outsägligt glad i kväll jag är
Att vara född en värdig Svithiods dotter.

Så länge Svithiod finns i högan Nord,
Skall Svithiodsstammen äfven här bli spord
Och fira majfäst uti vårens stunder,
Och starkare den blir med hvarje år;
Ty nya grenar den beständigt får
Och aldrig, aldrig kan den duka under!

PÅ BELLMANSDAGEN

Nu "fröjd i hjärtan och i pokaler!"
　　Ty Bellmansdagen är åter här.
Nu glömmes allting, hvad sorg och kval är;
Ty Bacchus spiran för dagen bär.
Och nu vi fira vår Bellmans minne
Med ystert skämt och med Bellmanssång,
Det lifvar upp hvarje trumpet sinne —
Det gjort det förr ju så mången gång.

Nu tåga skaror från Mälarstaden
Till Djurgårdslundarnes glada trakt,
Och glas och flaskor, den långa raden,
Bevisa vingudens stora makt.
Kring Bellmansbysten hör's sången skalla,
Ty där står glädjen så högt i tak,
Och glada vänner, de jubla alla
I Floras prålande fästgemak.

Men du som bor här i fjärran väster,
En biltog lik uppå öde strand,
Du tänker kanske på Bellmansfäster,
Du firat förr i ditt fosterland —
Slå bort allt vemod, all sorg och suckan
Och fästpokalen med glädje tag!
Och låt det sedan bli "luft i luckan",
Ty äfven här firas Bellmans dag!

I dag förgäte du sorgens tistlar!
Ty glädjens blomster ha frodig växt.

I Fredmans Sånger och hans Epistlar
Det fins mång' tröstande, härlig täxt.
Och därför bör du med vidgad lunga
Till pris för fästdagens föremål,
Allt hvad du kan, några stumpar sjunga
Samt tömma gladeligt Bellmans skål.

Nog drages tanken till fosterhärden
För hvarje år uppå denna dag;
Men dock — så länge i Nya Världen
Det svenskar fins af det glada slag —
Skall Bellmanssången, den evigt unga,
Hos oss ej någonsin gå i kvaf;
Ty vi med förkärlek städse sjunga
De glada sånger oss Bellman gaf.

LABOR DAY 1896

Kors, hvilken väldigt stor parad,
Som genomtågar nu vår stad
På dess förnämsta gator!
Se bara på marskalken där
Till häst! Han liknar som ett bär
En gammal triumfator.

Hvad lyftning hög musiken ger!
Se dessa flaggor och banér,
Som fladdra fritt för vinden!
Arbetarn uti slutet tåg
Här drager fram så glad i håg
Med hälsans färg på kinden.

Gif akt! Här komma bagarne,
Strax efter kopparslagarne,
Och se'n di som sko hästar.
Här ha vi ju plåtslagarne
Samt äfven paj-tillagarne —
Hvarenda kutte fästar.

Här komma dudars räddare —
Skomakare och skräddare,
Hattmakare desslikes —
Nu nalkas smedernas kohort,
Och har du kraft af deras sort —
Var viss, du aldrig svikes.

Men som en mellanstickare
Du ser en trupp af snickare,
Så säkra uti näfven;
Men några öfverdängare —
Ä' herrar skyltupphängare —
De ha ett yrke äfven.

Se'n murare och timmermän —
Det går på tok, min hedersvän,
Om du med dem nu gycklar.
Men, ruter ut! — glasmästare
Här fins i massa liksom de,
Som peta 'hop bicyklar.

Barberarne a la milis
Här tåga fram — naturligtvis
Helt "raka" uti ryggen. —
Men om jag bortglömt någon "craft"
Vid allt uppteckningsbråk jag haft —
Sänd en protest, en stygg en!

VÅRA FÖRFÄDER

Uppläst vid fästen på "Våra förfäders dag" i Minneapolis 1890.

En minnesfäst i kväll vi fira här
Med patriotisk känsla utan måtta
För våra landsmän, som till Delaware
Hitkommo 1638.
De trotsade Atlantens vreda våg,
Och äfventyrligt var nog deras tåg;
Men hvarken stormar eller ruskigt väder
Förmådde skrämma dessa våra "fäder".

Den tiden gick det icke så galant
Att komma öfver hafvet hit till landet,
Och den, som dessa dar var emigrant,
Var säker, att han ganska tråkigt fann det.
Då var det brist på ångare totalt,
Med reskostymer var det också skralt;
Ty uti korta knäbyxor af läder
Och svala rockar — kommo våra fäder.

Dock hur det var, så slogo de sig ut,
Och särskildt de, som voro ifrån Småland,
Och några blefvo farmare till slut
Samt skötte väl sin åker och sitt kål-land.
En blef skomakare, en annan präst,
Man tog det yrke, som man fann för bäst,
Dock mäst förtjänte de, som sydde kläder
Och bryggde öl åt våra första fäder.

Det var en stilla, var en lycklig tid;
Ty här fans ännu icke politiken,
Och våra fäder lefde uti frid
Förgätande den gamla världens riken,
Ej fans republikan, ej demokrat,
Ej valkampanjer med politiskt prat — —
Och till borgmästare i deras städer
De bäste togos utaf våra fäder.

Och eniga de voro uti tron;
De voro gamla goda lutheraner.
Ej fans nutidens slemma religion,
Där främst i tämplet sitta publikaner,
Bland dem var aldrig någon humbug spord,
Och deras valspråk var; "en man ett ord" —
En sak som gör mig stolt och som mig gläder;
Ty smickrande den är för våra fäder.

Fastän af år två hundra femtitvå
Se'n dess försvunnit uti tidens bölja,
Syns här det svenska släktet kraftfullt stå;
Förty vi fädernas exempel följa,
Och framgång kröner våra företag,
Och glädtigt hälsa vi hvar nyfödd dag;
Ty samma frihetssol emot oss träder,
Som log i Delaware mot våra fäder.

TILL FÖRENINGEN "SVITHIOD"

i Chicago, vid dess vårfäst.

I Svithiod bodde fordomsdags ett släkte,
På bragder rikt och uti välde stort.
Dess hjältemod en världs beundran väckte,
Dess rykte var på fjärran stränder spordt
Hvarhälst en viking styrde ut på hafven,
Åt ovän redde han den våta grafven.

Det släktet på de gamle gudar trodde
Förutan skrymteri, förutan svek;
Ty hedersmannatro i Norden bodde,
I fredens dag som uti stridens lek.
Ej höfdes bönbok, icke biskopsskrudar,
Då folket offrade åt sina gudar.

Men hvarje vår — så lyder fädrens saga —
När isen lossnat ikring Svithiods kust,
När Flora täcktes emot Norden draga,
Då lärkan kvad i fur'n med fröjd och lust,
En vårfäst firades till guden Balder,
Och gudens lof besjöngo goda skalder.

*   *
*

Förbi den är, den gamla goda tiden
Och fädren till sitt drömda Vallhall gått,
Och gudasagans period förliden, —
Vi den i arf från fordomtima fått;
Men släktet är ännu i dag detsamma,
Och jag är stolt att från det släktet stamma.

Och jag är glad att än se Svithiods söner
Till vårfäst samlas i ett fjärran land,
Där frihetens gudinna fästen kröner,
Där fröjd och broderskap gå hand i hand,
Där, efter dagens strid, med glädtigt sinne,
Man tömmer bägaren till fädrens minne.

Hell, ädla Svithiod! Gånge högt din bana,
Från haf till haf må brödraringen nå,
Och låt den svaja stolt, din svenska fana,
När systerflaggan höjs i luften blå.
Och mins: Hvar gång när sippor marken sira,
Då är det åter tid att vårfäst fira.

TILLFÄLLIGHETSKUPLETTER

Ur "Sabinskornas bortröfvande".

Min bror, Minneapolis det är en stad,
Där kvarnar det finnes så långer en rad;
Men bäst ibland kvarnarnes buller och sus
Är dock Charlie Lindbergs — som blott maler snus.

Och när som man här vill nå himmelens fröjd,
Så bygger man hus upp mot stjärnornas höjd;
Men courthuset gammalt och eländigt står.
Det nya blir färdigt — om femtio år.

Här möter man mången Johan Johanson
Och Carlson och Svenson och Klas Gustafson
Samt Larson och Olson och Pete Anderson
Och Nelson och Benson samt Chas. Peterson.

Här bor Axel Paulson, en afsatter kung,
Som fordom förvånat båd' gammal och ung;
Dock gör han på skridskor ej mera försök,
Ty nu går hans världsrykte upp uti rök.

Ja, här bor Tom Lowry, en herre så båld,
Som har alla åldermän uti sitt våld,
Och spårvagnar har han i tusendetal,
Dessutom så äger han — halfva St. Paul.

Det fins här i sta'n en poliskommission,
Där tvänne regera förutan reson,
Men såsom man älskar båd' utslag och skabb,
Så älskar just Gjertsen herr Guile och herr Babb.

Här är äkta männernas trohet så stor;
Ty trohet förvisso i Nordvästern bor;
Dock väcker det stundom en smula förtal,
När de resa ensamma bort till St. Paul.

Här finnes det äfven ett svenskt batteri
Af tappra soldater — ja, vassera tri!
Men när som den hopkallas till excercis,
Så sträjkar den oftast — vår fina milis!

VID FÖRENINGEN "NORDENS" JULFÄST

i Minneapolis 1905

I denna högtidsstund vårt sinne fattas
Utaf en härlig känsla, som oss nått,
Ty mera högt än annat af oss skattas
Det gamla Nordens färger, gult och blått —
Det blå representerar himlapällen,
Det gula midnattsol högt upp bland fjällen.

De färgerna, de ha en skön historia,
Som öfver världen gått från strand till strand.
De vittna om så ärorik en gloria,
Som under sekler följt vårt fosterland.
Och ifrån stolthet fåfängt den sig värje,
Hvars vagga stått uti det gamla Sverige.

När hälst som Sveriges söner styrde färden
Mot Västerlandet öfver hafvet ut
Att pröfva lifvet uti Nya världen
Och lyckan söka vinna här till slut.
Ett minnets skimmer städse för dem spred sig —
De hade sina kära färger med sig.

Och dessa färger ha den egenskapen
Att sammanhålla Sveas spridda barn;
De ha sig visat som det bästa vapen.
Då styckas må oenighetens garn.
När svenskens öga här uppå dem hvilar,
Till Nordens sköna land hans tanke ilar.

Men här, uppå den nya fosterjorden,
Där lifvet ses i växlingar sig te,
Vi ha ett annat, nytt och kraftfullt Norden,
Som har bestått i åren 33!
Och Sveriges fana som oss fröjd bereder
Har städse sammanhållit våra leder.

Så svaja högt, du ädla, stolta fana
Vid sidan af Columbias stjärnbanér,
Och följe du vårt Norden på dess bana,
Hur under tiders lopp den än sig ter!
Till nya segrar framåt du oss svingar —
Ett trefaldt hipp, hurrah! jag dig nu bringar.

VID LOGEN OSCAR II:s (S. F. S. A.) ÅRSFÄST 1905

En årsfäst vi fira med jubel och glam,
   Ty framtiden skönt för oss alla nu hägrar.
Föreningen liksom vår loge drager fram
Och vinner bland landsmännen fridfulla segrar.
Vår uppgift är ädel, vår sträfvan är stor:
Att svenskarne samla på olika trakter,
Ty svenskmannatro i föreningen bor,
Som aldrig kan rubbas af afundens makter.

Vår loge är en telning, som ännu är späd:
Af ålder och visdom den ännu har föga.
Men fast har den vuxit som hammarens städ,
Och upp ses den spira mot målet det höga.

Vår början var ringa, och först det såg ut,
Som kunde vi ens ej få hjälp af reklamer.
Men lysande seger vi vunno till slut;
Nu ha vi ju äfven en loge utaf — damer.

Vårt värk, som är nobelt, förträffligt och stort,
Består i att hjälpa och stödja hvarandra
Såväl uti smått som därjämte i stort.
Då här i det främmande landet vi vandra.
Vår gamla och älskade fädernebygd
Bevara vi städse så troget i minnet,
Och fädernas mod, deras ära och dygd,
Dem hafva vi alla desslikes för sinnet.

Vår fäst en betydelse har i sitt slag,
Som ingen förkättre med ord eller klandre,
Ty äfven i dag firar födelsedag
Vår hugstore namne, kung Oscar den andre.
Som eken han står lika härdad och stark,
Berömd för sitt snille bland folken på jorden.
Ett lefve för svenskarnes käre monark!
Hans minne skall vördas för evigt i Norden.

Och förrän vår fäst nu till ända här går,
Så vill utaf hjärtat jag uppriktigt önska
Att logen må lefva i hundratals år
Och städse gå framåt och frodas och grönska.
Må alla vi samfäldt ock hoppas till sist
Att framgången alltid vårt arbete kröner.
Och "Oscar den andre" förblifver förvisst
En prydnad för Sveriges Förenade Söner.

KAMPANJSÅNG FÖR JOHN A. JOHNSON

Guvernörskandidat i Minnesota

(Mel.: "Columbia, the Gem of the Ocean."

Vi män, hvilka svenskar oss kalla,
   Men amerikaner också,
Må nu vi förena oss alla,
   För Johnson att enhälligt stå!
Om blott uti minnet vi fästa:
"Den mannen, den rösta vi för"
Och dessutom göra vårt bästa,
   Så blifver han ock guvernör.

Vi veta, han svensk är till börden,
   Fast född i Columbias land,
Och rik uppå röster blir skörden
   Han får utur landsmännens hand,
Den mannen ej låter sig sälja —
   Det ädla, det rätta han gör,
Och därföre honom vi välja
   Att blifva vår stats guvernör.

Förty han har tusentals vänner
   Ej blott i sitt eget parti;
Vår stat som ett helt honom känner
   Och lofvar att stå honom bi.
Hvar republikansk stor avisa,
   Som just till de yppersta hör.
Vår Johnson nu högt höres prisa,
   Att han månde bli guvernör.

Om honom man städse förnimmer
Att sanningen går ur hans mun,
Och ej har han svindlat i timmer,
Och ej kan han liknas vid Dunn.
Ej hörs han för mycket bedyra
Om sådant som framtiden rör,
Men visst är, att Johnson skall styra
Vår stat som en god guvernör.

TILLFÄLLIGHETSKUPLETTER UR "NATURPOETEN"

Föredragna på Lyceum Theatre den 25 december 1890

"Vill fint man hålla hakans skinn,
    När skägget skjuter på,
Så bör man tvåla duktigt in
Och låta knifven gå;
Men mycket annat fins också,
Som borde inom kort
En dylik pers igenomgå —
    Först tvålas in, se'n rakas bort."

Här nästan hvarje spårvagn går
Med elektricitet,
Men stundom "värket" stilla står,
Fast hvarför jag ej vet.
Dock en och annan linie kör
Med hästar som transport. —
Jag tycker spårvagnshästen bör
    Först tvålas in, se'n rakas bort.

Det klagas ganska allmänt på
Borgmästare och råd,
Och aldrig mer de kunna få
För stadens ögon nåd.
Dock ha vi gjort en präktig "jabb"
Och valt en annan sort.
Om några dagar skall herr Babb
　　Först tvålas in, se'n rakas bort.

Nu har McKinley med sin bill
Vändt upp och ned på allt;
Dock går det just ej, som han vill;
Ty folket så befallt.
Den fattige betala får
För millionärns import,
Därför skall billen, jag det spår,
　　Först tvålas in, se'n rakas bort.

Hvar indian nu pryder sig
Med fjädrar och lull-lull
Och drager ut på krigets stig
　Att hämnas Sitting Bull;
Men Onkel Sam är redan van
Vid vakt mot dess kohort,
Och kanske snart hvar indian
　　Blir tvålad in och rakad bort.

Förliden sommar hade vi
Folkräkning, som ni mins;
Men i St. Paul där räkna' di
Långt fler, än nu där fins,

Ty allt går bakut där, aj, aj,
Trots värdshuslif och "sport",
Därför skall staden "by-and-by"
Först tvålas in, se'n rakas bort.

TRASTENS SÅNG TILL NÄKTERGALEN

Vid Ninian Wærners afresa till Sverige 1895

Säg, mins du än den glada tid
— För den vi gärna hurre! —
När som jag satt dig näst invid
Som yrkesbror på "Kurre"?
Då gick vårt lif liksom en dans;
Ty rum för sorger icke fans.

Väl var med kassan "si och så",
Krediten var begränsad;
Dock kunde allt en slant vi få,
När fickan, den var länsad.
I värsta fall "på vigg" man drog
Till Broberg — och fick mer än nog.

Snart blef det dock på "Kurre" slut,
Man ändrade signaler.
Men du och jag, vi "gingo ut"
Och gåfve hin kabaler. —
"Kuriren" sedan, jag förstått,
Har skördat hvad som "Kurre" sått.

Se'n blef du hufvudredaktör
För "Onkel Olas" tidning;
Men jag blef blott expeditör
För "Svenska Folkets" spridning;
Dock när till Denver se'n du for,
Så tänkte jag som så, min bror:

"Kan icke Ninian och jag
Än en gång komma samman
Och ha som förr fostbrödralag
Allt under skämt och gamman?" —
För "Folkets Tidning" slogs en drill,
Och sedan kom "Friskytten" till.

Hvad se'n har skett, det är för nytt
Att här nu relatera.
Vi begge två ha platser bytt
Att vinna lagrar flera.
Må den, som styrer världars lopp,
Förvärkliga vårt hopp-opp-opp!

Tack för god vakt, du gamle vän
Och lycka till på färden!
En legion af vänner än
Du har i Nya Världen,
Och alla säga vi: Ta-ta,
Lef lycklig uti Motala!

TILL LUTTEMANSKA SEXTETTEN

Farväl du glade
   Bror Erikson!
Ack, om jag hade
Din röst till lån,
Jag skulle ila
Från trakt till trakt,
Ge tröst och hvila
Åt hjärtans schakt.

Och Fröholm därnäst,
Du muntra sven,
Gud vet, när härnäst
Vi ses igen.
Ge sången tolkning
Du bäst förstår — — —
Men — ingen skolkning!
Farväl, gutår!

Vår Kindlundh, "gamling",
Så snäll och van,
I vår församling
En veteran!
Din röst kan jaga
Bort sorg och ve.
Må städs du taga
Ditt contra C.

Och må baronen,
Vår Löwenmark,

Ej mista tonen
Så grann och stark! —
Nog kvinnohjärtan
För honom slå;
Men stilla smärtan
Skall han förmå.

Min hälsnnig sedan
Till Schill och Smith — — —
Men tiden redan
För långt har skridt.
Nu fröjd och lycka
Uppå ert lopp!
Vi glasen trycka
Och "botten opp!"

SÅNGARHÄLSNING

Till Duringska Damkvintetten.

Välkomna, Nordens väna näktergalar,
   Jag eder utaf hjärtat hälsa må.
Välkomna ibland oss i Odins salar,
Som kånske dock ni finna något små.(?)
Men alla vi utaf det hoppet lifvas,
Att glädjen jämte er oss gästa skall
Och att på bästa sätt ni måtte trifvas —
Som sagdt: Det hoppas vi i alla fall.

Af rika karlar se ni här ej "many",
Fastän vi hoppas bli det — jojomen!
Och om man frågar oss: "Where is your penny?"
Så ha vi ofta svårt att finna den.
Men svenska sången, denna gudaskänken,
Vårt hjärta städse sätter uti brand;
I denna finna vi föreningslänken
Emellan nytt och gammalt fosterland.

Och er, dess tjusande representanter,
Från älskad fosterbygd i högan Nord,
Så rik på fagra dalar, djupa branter — —
Att er besjunga rätt jag saknar ord.
Två världar, som bedårande er funnit,
Ha hyllning gifvit er med tacksam håg.
Ni lagrar och triumfer hafva vunnit
I riklig mängd uppå ert sångartåg.

Men vi härute i den nya världen
Måhända edra toner skatta bäst.
Med jubel vi er följt på "Brudefærden"·
Och "Sæterjenten" sig hos oss har fäst.
I "Stille Liebe" hvilka ljufva fläktar
Från Amors pilar tolka ni förstått!
Uti "Linnean" hvilken härlig nektar
Ur sångens gudabägare vi fått!

På "Barselgilde" gladt ni ha oss bjudit
Med ett melodiskt, klockrent "Faldera."
"Lill Anna skön" så kärleksfullt har ljudit,
Vibrerande på hjärtesträngarna.

"Spinn, spinn" vi med förtjusning fingo höra,
Som stundom formen tog af muntert glam.
Men djupt till hjärtat syntes det oss röra
Att "aldrig, aldrig kom den friar'n fram!"

Ja (törs jag kalla er väninnor såta?)
Haf· tack för all den njutning ni oss skänkt!
Och må i nåder nu ni oss förlåta,
Om ni oss icke funnit, som ni tänkt.
Dock är vårt hopp att ingen eder tubbar,
Förrän ni återvända till ert hem,
Att vi precis som Fru Susannas gubbar
"Kanaljer" äro "i hvarenda lem."

Och nu till sist för sångens klara stjärnor,
Som vederbörligt är uppå kalas,
För våra väna genomsvenska tärnor
En hälsningsskål på svenskt manér må tas.
Hvarhälst ert sångartåg drar fram på jorden,
Må fröjd och tjusning blott det ha till mål!
Med er en hälsning sända vi till Norden,
Då jag för er nu föreslår en skål!

TILL DR. V. HUGO WICKSTRÖM

Vid hans besök i Minneapolis den 9 maj 1901.

Välkommen hälsas du i landsmäns sköte,
Fast fjärran ifrån landet uti Nord.
Här klappa svenska hjärtan dig till möte
Med varma slag uppå Columbias jord.
För dig med glädje öppnas syskonringen,
Och kärare en gäst var ännu ingen.

Om "Sverige i Amerika" man talar,
Men fins det någonstans, är det väl här,
Ty våra ängder, skogar, höjder, dalar
Af äkta svensk natur ju prägel bär,
Och flodens liksom insjöns gröna stränder
Ses likna Sveriges, skönaste bland länder.

Och Nordens fagra döttrar, käcke söner
Dig möta här, hvart hälst du styr din stig.
Med hjärtlig glädje och helt snart du röner,
Att svenska språket klingar emot dig
Med sina tonfall, uppå välljud rika
Med "klang af silfver och af stål" tillika.

Bland svensk-amerikaner känner mången
Dig under skaldenamnet Christer Swahn.
Här mången fins, som lyssnat har till sången,
Du kvad med hugstor själ på diktens ba'n.
Med fraser ej — med tankar, höga, ljusa,
Du väl förstått att våra sinnen tjusa.

Ja, dig vi vilja gärna sällskap göra,
Du ädle bard, på din författarstråt;
Ty såsom mål du satt att släktet föra
Till ljus och frihet med ett käckt "framåt!"
Nog striden emot fördom hård du finner,
Men gläds ändå! — En dag du seger vinner.

I många år du omkring världen farit,
Sett skilda folk och länder växelvis.
Det finnes knappt ett land, där du ej varit,
Fast' namnen nämna höfves ej precis,
Och där med vaken blick du fram sågs draga,
Du visste allt att nogsamt iakttaga.

Men städs när du besett en del af världen,
Du vände åter till ditt fosterland,
Och dina rika minnen ifrån färden
Du skildrade med sällspord mästarhand.
Stor fröjd du skänkte många dystra sinnen
Med dina inträssanta reseminnen.

Och allra sist du kommit att besöka
Vår stora, fria, stolta republik.
Att dina rön och dina minnen öka
Och blifva på erfarenhet mer rik.
Dock må du mångt och mycket öfverväga,
Förr'n öfver landet du din dom skall säga.

Bekant du är dock för att reflektera,
Och din mission i hufvudsak ju är
Att svenskarne uti vårt land studera

Och finna, hurudan vår ställning är.
Hur vi ha lyckats på den nya jorden,
Och om vi glömt den gamla, dyra Norden.

Nej! — Ty så länge än vi äga minne,
Och tanken icke hämmats i sitt lopp,
Står gamla Sverige städse för vårt sinne.
Bor i vår själ det säkra, fasta hopp,
Att Gud skall skydda fosterbygden kära
Om östra grannen sköfla vill dess ära.

Bedöm oss skonsamt, äfven om du funnit
Oss något främmande! Du nog förstått,
Att vi rätt många intryck taga hunnit
Utaf det nya fosterland vi fått,
Men svenskar dock vi oss med stolthet kalla;
Vårt Sverige bäst är ibland länder alla.

En hälsning tag till fosterbygden dyra
Från svenska kvinnor och från svenske män!
Och om du åter färden skulle styra
Hitut till oss — välkommen var igen!
Du städse skall oss finna fosterländske;
Vi följa gladt din maning: "Varer svenske!"

AFSKEDSHÄLSNING

till O. N. Ostrom och C. C. Bennet vid afresan till Sverige 1891

Ett rykte spridt sig uti våra näjder;
Det öfver hafvet kom från högan nord:
Där rustas till försvar, till hårda fäjder:
Den hotad är, vår gamla fosterjord;
Ty Rysslands örn, från hvilken Gud oss värje.
Har åter fäst sin rofblick uppå Sverige.

Och mången svensk med mörk och dyster aning
Här i vårt land det hemska ryktet sport
Och gripits af en ädel, kraftig maning
Att draga hem till hotad barndomsort,
Att sälla sig till svenska krigarätten
Och än en gång förjaga ryske jätten.

Två slika svenskar äro våra gäster
I "Valhalls" salar denna aftonstund.
Till Sverige och till strid från fjärran väster
De draga uti broderligt förbund,
Och segerns lagerkrans de få kring ännet. — —
Den ene Oström är, den andre Bennett.

En krigsman utan fruktan är kaptenen
Och väl bevandrad i artilleri.
Han skall nog drifva ryssarne på benen,
Om blott han får ett litet batteri.
De skola ropa: "Helgon, nu oss frälsen,
Här kommer Bennett — han ger oss på pälsen!"

Att Sverige nu har skrala apparancer
Finansielt, kan hvar och en förstå;
Men Oström, han är hemma i finanser,
Dessutom skall han adeln "banka på."
Krigskassan skall han öka, fylla brister,
Och återvända som — finansminister.

När Sverige räddadt är och utan fara,
Då komma åter dessa svenskar två.
Och ordensprydda skola båda vara,
Ty kongl. majestät skall det förstå.
Svärdsorden Bennett får, vi äro vissa;
Men Oström — han får blott en vasatrissa.

Men förrän börjad är den långa färden.
Farväl, I gode herrar, svenske män!
Välkomne åter snart från gamla världen,
Det önskas er i kväll af hvarje vän;
Dock först och sist vi böra ej förglömma
Att afskedsbägaren i botten tömma.

TILL A. O. ASSAR

Förr'n denna glada afton är förbi
  Med tal och skämt och präktig sång från kören,
Jag lämna vill en bit biografi
Om Assar, musikern och redaktören.
Han talar svenska utan dialekt
Och kommer af en gammal ansedd släkt,
  Men likväl är — det oss nu ej förvåne —
Han icke dästo mindre född i Skåne.

Som pys han vådligt musikalisk var;
Och hörde han en vis-stump, strax han gnola'n,
Dässutom han förvånade enhvar,
Ty han på häst kom ridande till skolan.
Men honom brydde detta icke alls;
Han betslet kastade om hästens hals,
Hvarpå till hemmet Pålle gjorde strutten,
Men kom tillbaks i tid att hämta gutten.

En dag han laddade en stor pistol
Och tog den med till skolan se'n helt varligt.
Han sken af glädje som en liten sol,
Men handskades med vapnet oförsvarligt.
Ty midt uti lektion' förnams en knall,
Och denna kom sig af att skottet small,
Så händer det ju alltid uti regel — —
Se'n small det ock på Assars akterspegel.

På musikaliska akademi'n
Vår hjälte se'n ej sattes på det hala.
Där fick han inblick uti harmonin

Och spelade så mången konstig skala.
Ja, högt och tydligt jag försäkrar nu,
Att snart med glans han tog sitt "fina q".
Han fullärd blef i alla ämnen, ja men,
Och tog till sist en glänsande examen.

Till Köping kom han såsom organist,
Och åren sex man honom där såg dröja.
Men inombords det något fans förvisst,
Som utan tvifvel honom skulle höja.
Snart blef han utan mödor eller sorg
Domkyrkoorganist i Göteborg;
De stora sångföreningarne äfven
Han hade inom kort liksom i näfven.

Vid göteborgarenas "Aftonblad"
En medlem blef han ock af redaktionen;
Med sans och kläm han skref hvarenda rad
Och yrkesmässigt där han "angaf tonen".
Från denna tidning som representant
Ha reste till St. Louis helt galant
Och se'n till California, som I veten,
Där han besökte Skarstedt uti Laton.

Och sedan sist han nu oss gästat här,
Till gamla Sverige styr han åter färden.
Vi vilja hoppas, han belåten är
Med svenskarne uti den nya världen.
Med sinne varmt, fastän med enkla ord
En hälsning sända vi vår fosterjord
Och höja samfäldt, såsom nu det passar,
Ett "lefve!" sist för hedersgästen Assar.

BELLMANSFÄST I CHICAGO

Se, sångarmössorna vimla —
De hvita med blågul rand —
Som bäras af Sveas söner
På Michigans sköna strand.

Af svenskar så väldig skara
Du här knappast förr har sett.
De fira den skaldens minne,
Som största fröjd dem beredt.

De fira minnet af Bellman,
Af Fröjas och Bacchi tolk,
Hvars bild för evigt skall lefva
I hjärtat hos Sveriges folk.

Och här ser du högresta männer
Med nordiska anletsdrag,
Och här ser du fagra svenskor
I strålande, ljuft behag.

Den gullgula svenska punschen
Du ser uti fyllda glas,
Som tömmas med lust och glädje;
Förty här är "godt kalas".

Här skämtet är kung för dagen
Och glädjen drottning försann.
Men sorgen och trumpenheten,
De äro lysta i bann.

Här mötas nog gamla vänner
Från skilda håll i vårt land,
Och här under skämt och gamman
Det knyts månget vänskapsband.

Men nu höres sången klinga,
Den härliga Bellmanssång,
Som tjusat vårt sinne därhemma
I Sverige så mången gång.

Den sången smeker vårt öra
Som ingen annan musik,
Ty känd den är af oss alla
Och uppå minnen så rik.

De kända Bellmansfigurer
Få lif vid tonernas ljud
Och lefvande stå de framför oss
Kring vinets bekransade gud. —

Ja, fastän i främlingslandet
Vi dväljas på fjärran kust,
Så fira vi Bellmansdagen
Med glädje och fröjd och lust.

HUMORISTISKA SÅNGER

MONARKENS SORG

Ballad

Den gamle kungen på sin tron
En morgon sorgsen satt;
Helt jämmerlig var hans person,
Bekymrad, svag och matt.

Hans glade hofnarr sökte då
Med skämt och ystra hopp
Att lif uti monarken få
Och honom muntra opp.

"Var still och väsnas ej så där!"
Så kungens varning ljöd.
"Vår höga drottning just det är,
Som vållat denna nöd.

Hon sig beslöt för längese'n
Besöka fjärran land.
I veckor har hon önskat re'n
Att lämna få vår strand.

Långt bort hon ämnade att dra.
Hon däri fann behag,
Och resan skulle början ta
Förvisst i morgon dag." —

"Ack," sade narren, "jag förstår
Din bittra afskedssorg,

När nu din drottning från dig går
Och lämna skall din borg.

Så långsamt visst skall tiden gå
Det är ju uppenbart,
Dock låt oss bedja att hon må
Hit återvända snart!" —

Från tronen stiger kungen ned
Och stönar med besvär;
"Hon för en stund se'n gaf besked
Att resan — inställd är!"

GILTIGT SKÄL

Ballad

Det var uti forna tider,
    I Böhmen en gammal sed
Att riddaren efter dansen
    På knä för sin dam föll ned.

Och damen drog då från foten
    Sin guldbroderade sko;
Den fyldes med vin, och riddarn
    Den tömde med glans, måntro!

Då fans det en gång en fröken
    Som vanskaplig var som få.
Med henne att tråda dansen
    Sig vågade ingen på.

Dock Rudolf, den djärfve riddarn,
   Till dans bjöd den fröken opp
Och dansade hela natten
   Med henne i kort galopp.

Men vännerna honom håna
   För slikt ett märkvärdigt val.
"Hvi för du väl uti dansen
   Den fulaste i vår sal?"

Då svarade riddaren fryntligt,
   Se'n grundligt han druckit först:
"De största fötterna har hon,
   Och jag har den största törst!"

TVÅ NATTLIGA BALLADER

Klagolåten

Hemskt tjuter stormen kring riddarns borg
   Och rägnet faller i skurar,
Och ufven kväder sin dystra sorg
   Från tornets bräckliga gamla murar.

Vildt dansa vindarne på sin stråt;
   Då hörs i natten en stämma —
En hemsk och gripande klagolåt,
   Som månde lyssnaren nog förskrämma.

Nu vaknar riddaren i sin säng
   Och späjar tyst ut i natten,

Han väcker slottsfrun med röst så sträng:
"Gack upp du, gumma, och släpp in katten!"

Riddaren och spökena

Den ädle riddaren Kastenhof
En höstnatt låg i sin borg och sof,
Men just som tornuret 12 hörs slå,
Helt plötsligt vaknar riddaren då.

Ty i hans bonade sofgemak
Förnams ett hiskeligt dån och brak,
Och då han rädd slog sitt öga opp,
En hop af spöken mot honom lopp.

Och riddarn kallar sin trogne sven
Och beder honom för den och den
Att sammankalla allt husets folk
Till strid mot spökena utan skolk.

Väl komma stridsmän med vapengny,
Dock synas spökena icke fly.
De trotsa lans och de trotsa spjut,
Och dansa lustigt sin dans till slut.

Nu blef väl riddarens vånda stor;
Han låter kalla sin svädermor.
Hon var en häxa af värsta sort —
Och hastigt flögo de spöken bort.

RIDDAREN OCH DUFVORNA
Ballad

S kön Anna uppå altanen
  I drömmar försjunken är.
Hon riddaren länge bidat,
  Som är hennes hjärta kär.

Hon kastar smäktande blickar
  På värdshuset midtemot.
Där riddaren Kuno sitter
  Och söker för törsten bot.

Hvi dröjer han nu så länge,
  Hvi har icke bud han sändt?
Har mötet han re'n förgätit,
  Har honom väl något händt?

Hon sätter sig ned att skrifva:
  "Min Kuno, jag väntar dig.
Ej längre jag mäktar bida —
  Ack, älskling, kom snart till mig!"

Hon sänder en dufva med brefvet
  Till värdshuset, där försann
Den ädle riddaren Kuno
  Bland glasen så säll sig fann.

Minuterna långsamt skredo,
  Men ingen riddare kom,
Och brefdufvan icke häller
  Till slottet sågs vända om.

Bekymrad var nu skön Anna,
Beslöjad blef blickens glans.
En annan dufva hon sände
Till platsen, där riddarn ians.

När häller ej denna dufva
Hon vända tillbaka ser,
Så blifver hon helt förtviflad
Och sänder väl fyra fler.

Sist själf hon till värdshuset gångar
Där Kuno med godt humör
Ses sluka — den sjätte dufvan,
Så läcker, stekt uti smör!

KÄRLEKSDRYCKEN

Ballad

I skogen sitter på sitt slott
  Mathilda sedan många år,
Och henne det förtryter blott,
  Att inga friare hon får.

Därför en dag hon söker opp
  En gammal häxa, hemsk att se,
Och denna säger: "Haf blott hopp!
  Jag skall en kärleksdryck dig ge.

Den som vid månens klara sken
Den drycken tar skall älska dig."
Hon ilar hem på snabba ben
Och kallar fogden upp till sig.

Hans hjärta var väl troget, men
För öfrigt var han ful och stygg.
Och 'ngen best i skogen än
Inför hans åsyn känt sig trygg.

"Min vän," hon säger, "dig begif
I månens sken till vägen där
Och denna kärleksdrycken gif
Till första vackra karl du ser!

Och dricker han, i hornet stöt!
Då vet du, han skall bli min man,
Ty den, som denna trolldryck njöt
Ej någonsin mig motstå kan."

Han knotade, men löd ändå,
Dock fåfängt där han spanade,
Ty hvarje karl förbi sågs gå,
Som om han faran anade.

Den arme fogden klagade:
"Min nattro går jag miste om",
Och djupt Mathilda suckade,
Då intet ljud från hornet kom.

Då plötsligt i den tysta natt
Klang hornet: Tattra—tattrare.

Mathilda skrek: "O du min skatt!
Nu kommer brudgummen in spe."

Hon ilar mot sin drömda skatt,
  Och i sin famn han henne tar —
Då såg hon först med fasa att
  Det ingen ann' än fogden var!

Hon rasade; men fogden sa':
  "När tålamodet tröt för mig,
Beslöt jag själf att drycken ta — —
  Skänk mig din hand! Jag älskar dig."

Förvånad med ett glädjeskutt
  Hon honom flög omkring hans hals.
"Så blir jag gift! Du gamle strutt
  Är bättre dock än ingen alls!"

EN SÖMNLÖS NATT

Ballad

Den tappre riddaren Göran
  En herre så grym och sträng,
Befann sig i sofgemaket
  Och låg i sin granna säng.

Så pyntadt är hela rummet,
  Så bonadt dess inlagda golf.
Pendylens visare peka
  På 5 minuter till 12.

Men fåfängt söker herr riddarn
I ögonen få en blund,
Och af och an han sig kastar
I midnattens hemska stund.

Hvad kan väl störa hans slummer?
Månn' minnen från blodig strid?
Törhända att spökgestalter
Nu röfva hans samvetsfrid.

Måhända han också lider
Af kärlekens bittra kval:
Han älskar kanske en fröken,
Så fager, men ack så fal!

Kanske han på spel har vågat
Och tappat sitt ärfda slott
Och ligger i stum förtviflan
Samt fruktar sin hårda lott.

Men det kan ju också hända,
Att kvällen förut —hvem vet?—
Han ätit och druckit för mycket
Och icke kan sofva för det.

Du orsaken fåfängt letar
Och finner den ej, nej bevars!
Han störes af älskande kattor;
Ty börjad är månaden mars.

KÄRLEKENS BELÖNING

Ballad.

När sig neder natten sänkte,
  Och på himlen månen sken,
Gick sig riddaren Alfonso
Till skön Donna Blanca hän,
Gick dock ej till hennes kammar,
  Steg i slottet ej ens in,
Stod blott under hennes fönster,
  Älskogskrank med svärmiskt sinn.
Ty han var en gammal ungkarl,
  Skallot var han ock därhos;
Donna Blanca, hon var änka,
  Ung och skön som vårens ros.
Hon förhånade hans kärlek,
  Ville ej den veta af;
Ty för hvarje gång han friat,
  Strax hon korgen honom gaf.

Och han sjunger upp mot fönstret.
  Gamla kärleksmelodin,
"Dyra huldgudinna", sjöng han,
  "Du är bildskön såsom få,
Fagrare än alla rosor,
  Som uti ditt fönster stå,
Dig jag dyrkar outsägligt
  Med mitt hjärtas hela makt;
Såsom du har ingen kvinna
  Mig i sina bojor lagt.'

Men för all hans kärleksklagan
Är den hulda sköna stum,
När hans sång i tysta natten
Tränger upp till hennes rum. —
"Lyssna dock till mina toner
Och min kärlek gif sin lön!
Kasta ned en liten blomma,
Om du hör mitt hjärtas bön!" —
Och en ros från öppna fönstret
Föll på riddarns hjässa ned,
Men därjämte — grymma öde! —
Följde — blomsterkrukan med.

MOT FÖRVÄNTAN

Ballad

Den grymme riddaren Kuno
Satt ensam i slottets sal
Bland förfädrens många bilder —
Ett ansenligt ättartal.

Och kvinnohatare var han
Alltsedan han fick "en korg".
Af jungfru Märtha, den sköna,
Som bodde på närmsta borg.

Ej någon kokerska kunde
Herr riddaren göra i lag,
Och nya sådana tog han
Vid pass hvar åttonde dag.

Till dess att ej flera funnos,
  Som önskade slik en plats.
De räddes för riddaren Kuno,
  Fast storståtligt var hans palats.

Nu hade väpnaren lagat
  Den stränge riddarens mat
Och bar den in uti salen
  I gyllne skålar och fat.

Främst märktes en väldig biffstek,
  Så stor att den räckt för tre,
Men seg liksom gummi var den,
  Och riddaren dundrade: "Ve!"

Och gångar sig upp från bordet,
  Så hemskt ett löje han log.
Han fattar sitt trogna slagsvärd
  Och det utur skidan drog.

Nu börjar väpnaren darra,
  Och skälfver liksom en hund.
Han tror att den nu har kommit
  Förvisso, hans sista stund.

Men riddaren Kuno förstulet
  Ses le åt den grymma lek.
Se'n pröfvar han skarpa svärdet,
  Men blott på — sin sega stek!

DET GAMLA SLOTTET

I gamla slottet vid Kattegat
  Där är det kolsvart hvarenda natt.
Men hvarför mörker där råder då,
Har hittills ingen fått reda på.

När klockan tolf uti tornet slår,
Tolf gånger kläppen mot kanten går.
Men hvarför kläppen skall dunka då,
Har ännu ingen fått reda på.

Och detta hörde en skald en gång,
Hvarpå han diktade denna sång.
Men hvarför — ingen kan rätt förstå;
Det har man aldrig fått reda på.

DEN BELÄGRADE RIDDAREN

Ballad

D en gamle riddaren Kuno
  Befann sig i svåran nöd.
Hans gamla slott var belägradt,
  Och skott uppå skott där ljöd.

Hans tappre, trofaste knektar,
  De stridit till sista man;
Nu hade de stupat alla,
  Och ensam sig riddaren fann.

De sekelåldriga murar
   Ses darra för hvarje skott.
Snart skall till ruin förvandlas
   Hans fäderneärfda slott.

Då går han till dryckessalen
   Och slår en bägare full
Af allra yppersta vinet —
   En bägare utaf gull.

Och därpå han sig begifver
   In uti en mörk alkov,
Till sängen med gyllne sparlakan,
   Där städs han så roligt sof.

Där slår han sig ned på kanten
   Så sorgsen till själ och håg
Och håller, i skydd för kulor,
   Just följande monolog:

"Tja, snart är min timme slagen,
   Och fienden segrat har,
Snart fins ej af hela slottet
   Stort mer än en grushög kvar.

Dock en sak förvisst mig fröjdar
   I all min vånda och sorg:
Intecknad till sista öret
   Den är ju, min fäderneborg!

Jag dör med pokalen i handen
   På värdigt riddaresätt,

Och säll går jag nu att möta
Min gamla hänsofna ätt.

Men undsättning kunde jag kallat
Från staden, fast långt härifrån,
Om — Edison nu hade lefvat
Och uppfunnit telefon!"

CYLINDERURET

Sannsaga ur värkligheten

Han var en yngling med hurtigt mod
Och hon en ungmö, så kysk och god.
Ett bättre par man än aldrig fann,
Och kära voro de i hvarann'. —
Så kom hans födelsedag en gång
Med tal och verser och vin och sång,
Och fästmön lopp ifrån jungfrubur
Samt gaf sin vän — ett cylinderur.
Däröfver fröjdades ynglingen
Och talte så till sin hjärtevän:
"Haf tack, du ädla, allt för din skänk,
Den mellan oss blir en trohetslänk.
Fritt gudars vrede mig drabba må,
Och blixtens stråle mitt hufvud nå,
Om dig, du vänaste, jag försmår,
Så länge uret i fickan går." —
Så talte svennen med trofasthet,
Och utaf rörelse flickan grät.

*

Ett halft år därpå flög bort sin kos,
Men ifrån jungfrun 'svann kindens ros.
Sin ed han glömde, den falske sven,
Och glömde därhos sin hjärtevän.
Men när en afton hon satt och grät
I skogens gömma, i hemlighet,
Då fick hon syn på sin fästeman,
Men vid hans sida gick nu en ann'!
Då sjöd så hett den förskjutnas blod;
Inför den trolöse stolt hon stod:
"Uti ditt hjärta blott falskhet bor;
Hur har du hållit den ed du svor;
Säg, rädes du icke gudars hämd?" —
Men lugn han svarade, fast beklämd:
"Hvi förorsaka skandal så stor?
Ej har jag brutit den ed jag svor.
Det ur, som en gång af dig jag fått,
I flera månader har nu stått!"

OCKSÅ EN VÅRSÅNG

Jag sjunger icke om vårens sippa,
   Om bäckens silfver och trastens drill,
Nej, jag skall be er, godt folk få slippa
Och att få sjunga, just som jag vill. —
Jag sjunger om den förfallna hyran,
Om värdens hot och min hustrus groll;
Hvad under då om på brustna lyran
De första anslagen bli i moll?

Jag sjunger icke om vårens vindar,
Om lundens älskande unga tu,
Och ej om björkar och ej om lindar —
Det är så gammalt som gatan ju.
Min sista kolräkning — daler tretti —
Jag haft framför mig nu jämt en kvart.
Säg, har jag kanske då inte rätt i,
I fall jag allting ser uti svart?

Jag sjunger icke om vårsols lågor,
Se'n elden slocknat uti mitt kök;
Hvad rör mig skvalpet af insjöns vågor,
Hvad ängens fägring och skogens gök?
Nu är ju tiden, när allt bör grönska,
Och nästa år kommer den igen.
Bah! Skulle vårstämning jag mig önska,
Så sänder skräddaren nog mig den.

Jag sjunger icke om vårens knoppning,
Nej i det ämnet jag blifver stum;
Ty den är gäckad nu, min förhoppning
Om prisnedsättning på våra rum.
Jag önskar blott och så gör min fru se'n
(Den tanken städs' för vårt sinne står)
En summa — säg bara hundratusen: —
När den blir vår — ja, då är det vår!

SIN EGEN FARFADER

Att jag är vidt besläktad, det är då visst och sant,
Och om ni blott vill lyssna, ni skall det finna grannt,
Ty tänk blott saken öfver och lägg se'n märke till:
Jag är min egen farfar — jag det bevisa vill.
Till fru jag tog en enka; se'n hände det sig ju,
Att hennes enda dotter, hon blef min faders fru.
Märk därför ganska noga förvecklingarne här:
Min far är nu min son, och min mor min dotter är.
Min pappa har en pojke, som är oss alla kär,
Och själf jag har en dito, så lik 'en som ett bär.
Nu är min son min onkel, ty han är mammas bror
Min hustru är min mormor, ty hon är mammas mor.
När sig min dotter gifte och blef min faders fru,
Så blef ju jag hans "fader", ty så det heter ju.
Men blef jag far mins fader, som jag bevisat här,
Så är det tydligt, att jag min egen farfar är.

DYRT NÖJE

Det var ombord på ett järnvägståg;
    En handelsresande där man såg
Vid sidan utaf en vacker flicka,
Som blygt emot honom syntes blicka.

Fram brusar tåget med väldig fart,
Den mörka tunneln man nalkas snart;
Då syns hon blekna, den fagra älfva,
Och utaf rädsla hon börjar skälfva.

Till främlingen hon sig närmre drar;
Ty intet annat beskydd hon har.
Tänk, herre gud, om den skulle rasa!
Hon hviskar: "tunneln, den är min fasa."

Men "probenreutern" hörs svara då:
"Mig kan ni fullt och fast lita på;
Mitt lif i pant, att för hvarje fara
Jag skall er skydda och ömt bevara."

Och tåget rusar i tunneln in:
Men hon syns lugnad uti sitt sinn,
Och han — ja, det är ju nästan gifvet,
Att han tog flickungen tvärt om lifvet.

Och hon, som syntes så blygsam nyss,
Af honom mottog nu kyss på kyss — —
Ja, jag, min själ, vill ej alls riskera,
Att det i tunneln ej hände mera.

Men snart man framkom till en station.
"Är det nu rim och är det reson?" —
Den unga mön stiger af, dessvärre,
Och stammar: "tack och farväl, min herre!"

I kärleksdrömmar försjunken han
Minst fem minuter sig visst befann;
Men då — han saknar i hast sin klocka
Samt ock sin plånbok, den digra, tjocka!

I BALLONG

Jag gripes af en vådlig rimmaryra
    Och ger mig till att smida hop en sång;
Santos-Dumont ju påstår man kan styra
Tvärs öfver hafvet snart hvar luftballong.

Har karlen rätt, hur präktigt allting blefve
Vid hvarje resa kort och resa lång!
Så glad till sinnes man helt hastigt klefve
Med mynt och matsäck i en luftballong.

Då kunde jag nog finna norra polen
Och vinna rykte, fri från isars tvång.
Då kunde Onkel Sam se midnattssolen,
Om han till Lappland for pr. luftballong.

Och ångbåtslinier som järnvägsbolag
Af konkurrensen hade stort förtång.
Ja, Vanderbilts affärer uti olag
Snart komme, om vi finge luftballong.

Då kunde tvänne älskande så trygga
En luft- och lusttur ta sig någon gång
Och, svärmande, små nätta luftslott bygga
Bland höga molnen uti luftballong.

Och om man blefve trött på jordelifvet,
På sorg, bekymmer och på mödor mång' —
Hvad mer? — Farväl man sade, det är gifvet,
Och for till himla uti luftballong!

"NARRAD APRIL"

Det ofta i dagliga lifvet oss händer,
  Att åtskilligt smått sig i missräkning vänder;
Man kalle det otur, i fall man så vill —
Jag kallar det blott att bli "narrad april."

Du träffar kanhända en blomstrande tärna,
Och den vill du kyssa oändligen gärnə
Du krånglar helt litet, och flickan står still,
Men när du ska' till — blir du "narrad april".

En snillrik poet skrifver värser i massa,
Som blott för ett fåtal af "bildade" passa.
Den stora publiken förstår ej hans drill,
Och så uppå mynt blir han "narrad april".

Du "runnat för office" allt uti kampanjen,
Och motkandidaten som vanligt då vann igen.
Ej vet du precis, hur det hela gick till;
Men en sak du vet: Du är "narrad april".

Nog har du som andra en samling af vänner,
Med hvilka du umgås och nogsamt du känner,
Men när du vill låna en "ten-dollar-bill",
Så blir du i allmänhet "narrad april."

Kanhända du fästat en smula på natten
Och blifvit tyvärr, som det heter, "i hatten".
På morgonen efter du väntar få sill,
Men då får du gröt och blir "narrad april".

DRÖM OCH UPPVAKNANDE

Jag drömde jag stod en morgon
  I skogen på grönklädd stig.
Då syntes två fagra tärnor,
  Och bägge nalkades mig.

Den ena åt mig kredensar
  En bägare fylld, så huld;
Den andra så trolsk mig bjuder
  En handfull klingande guld.

Farväl, farväl för evigt,
  I fagraste tärnor två —
Du med det röda guldet,
  Du med pokalen också!

Ty just då jag händerna sträcker
  Att guldet och bägaren få,
Jag vaknar — och tvänne häxor
  Framför mig hotande stå.

Den ena är min värdinna,
  Som kräfver mig ful och stygg;
Min tvätterska är den andra
  Med tvättnotan bak' sin rygg.

Farväl, farväl för evigt,
  I fagraste tärnor två!
O, finge jag dessa häxor
  För alltid slippa också!

MIN FÄSTMÖS LILLE BROR

Hvem möter mig i dörren jämt,
  Hvar gång som jag att fria går,
Hvem är så full af skoj och skämt,
  Att maken nog man leta får?
Hvem tar min hatt och med den gnor? —
  Min fästmös lille bror.

Hvem bjuder mig en stoppad stol,
  I hvilken är en knappnål fäst,
Hvem grinar åt mig, arme "fool",
  Just då jag sticker mig som bäst?
Hvem skvallrade, i fall jag svor? —
  Min fästmös lille bror.

Hvem fyller fickorna med kol
  Uti min nya öfverrock,
Hvem pekar ut, ifall ett hål
  Jag fått på skon, fast blank ändock,
Hvem ställer sig och därpå glor? —
  Min fästmös lille bror.

Hvem spikar fast galoscherna,
  Som jag uti tamburen ställt,
Och, att det göra riktigt bra,
  Sist mycket vatten i dem hällt?
Hvem ljuger på mig för sin mor? —
  Min fästmös lille bror.

Hvem tigger slantar af mig städs
  Och tjuter, om han ej får svar,

Hvem hoppar vildt och högljudt gläds,
Ifall jag endast quarters har,
Hvem vet, hvar sockerbagarn bor? —
Min fästmös lille bror.

Hvem är det, som ej går i säng,
Fast klockan redan 10 är,
Hvem hånler åt min blick så sträng,
Men gör sig därför ej besvär,
Hvems skuld är, att det i mig gror? —
Min fästmös lille bror.

Hvem stör vår tete-a-tete, så trygg,
Så mystisk och så intressant.
Hvem dyker upp bakom vår rygg
Och skriker gällt: "Kors är det sant?"
Hvem kommer, när man minst det tror? —
Min fästmös lille bror.

* * *

Hvem var det väl, som fadern tog
Uppå sitt rum förliden kväll
Och uppå "söta knölen" slog
Samt gaf 'en kraftigt smäll på smäll?
Hvem skänkte mig då njutning stor? —
Min fästmös lille bror.

EN BÖN

Ack kära rikedomsbacill,
Hos mig din boning genast tag!
Och säkert, det bedyrar jag,
Jag göra skall allt hvad du vill.
Förtälj, hur kassan ökas skall,
Gif mig en vink i alla fall!

Du lilla rikedomsbacill,
Säg, hur jag spekulera må,
Att jag må mammons håfvor få
Och jag skall jubla gladt en drill.
Skall jag på börsen ta en titt?
Säg bara från — ditt val är fritt.

* * *

Du usla rikedomsbacill,
Min näsa går du ju förbi,
Mig, syns det, struntar du uti,
Och andra du dig håller till.
Men nöjd jag lefver med min lott.
En dimfigur, det var du blott!

OLIKA LITERATUR

Hvad härmed beträffar fins olika smak
Bland olika slags individer,
Och är det om denna naturliga sak
Som jag några smårim nu smider.

De tre musketörerna utaf Dumas
En här af beundrare vunnit,
Och Fåfängans marknad, som också är bra,
Har tusentals läsare funnit.

Den vandrande juden (Lejuif errant)
Är läst och beundrad af mången,
Och Faust besitter en underbar klang,
Hälst dock då den tolkas i sången.

En Synnöve Solbakken läser med fröjd,
En ann' älskar Luthers postilla.
Förvisst Lasse Maja gjort mången förnöjd,
Och Giftas är häller ej illa

De böcker, som skrifvits utaf en de Kock,
I allmänhet flickor ej tåla;
Dock läsa de dem — så är händelsen ock
Med Fällan, författad af Zola.

Musikläran läser hvar sångarelev,
Studerande "takten" och "pausen",
Och mången i konsten att ljuga nog blef
En mästare — blott för Mynchausen.

Vid Ungkarlsmysterier är hvar och en van,
Som älskar skandal och chikaner;
Men särdeles stor är den vördnad Koran
Städs röner bland muhammedaner.

I Andersens sagor det fins poesi,
Fast den ej är satt uti meter;
Men vill man ha vers bör man läsa uti
Svenska-Amerikanska poeter.

Beundrare många har Törnrosens bok,
Där fins det blott rosor — ej tistlar;
Men den som är ovis och vill blifva klok —
Han läse i Fredmans epistlar!

För min del jag yttrat i hela mitt lif
(En stilla förhoppning, fast gäckad,):
"I fråga om böcker en plånbok mig gif!
Naturligtvis en, som är späckad."

HON ÄR MITT ALLT

Hon är mitt lif — hon är mitt allt,
   När det är varmt, när det är kallt.
Jag trycker henne alla dar
Förtjust till mina läppars par.

När världen synes kall och snöd,
Jag värms af hennes stilla glöd,
När nattens mörker faller på.
 Hon hvilar vid min sida då.

Jag mins när först jag henne såg,
Hur hon då föll uti min håg,
Och, öfvermåttan säll en dag,
På henne lade jag beslag.

Tyvärr hon dock sitt kön är lik;
Ty uppå stoppning är hon rik,
Men jag — så trogen just min sed —
Har öfverseende därmed.

Ack, det blir sorg och mycken gråt,
När en gång sist vi skiljas åt.
När hon då ligger där så kall,
Jag hennes aska gömma skall.

Och spörjer du nu hvem hon är,
Som mig är vorden dyr och kär,
Och spörjer du hvad namn hon fått,
Så vet — hon är min pipa blott.

UR LIFVET

Han sparde litet hvarje dag
  Och syntes aldrig sig förströ,
Fick guld och gods af många slag
  Och — lade sig att dö.

Och allt det sparda inom kort
  Blef sonens — just ett präktigt kap!
Och denne slöste allting bort
  På svalg och dryckenskap.

HENNES MISSTAG

Hon var helt visst förälskad
  Så djupt — det skottår var.
"Han älskar mig!" hon tänkte
  Och på sin glädje bar.

Men när hon gick att fria,
  Hon ja ej kunde få.
"Helt säkert han mig älskar,"
  Så trodde hon ändå.

Nu om hans hand och hjärta
  Med ömma ord hon ber,
Men fast blott nej han svarar,
  Hon säll ej tviflar mer.

Ty hon, likt många kvinnor,
  Ej kunde aning ha,
Att "nej", då mannen svarar,
  Betyder aldrig "ja".

FÖRR OCH NU

I
ung-
domen
då, som
ni kan
förstå, min
mormor
gick ut,
höll hon
kjolarne så.

Om nu
hon fick
se, hur flickor
sig te med
åtsnörp-
tä kjo-
lar, nog
skulle
hon
le.

SAMMA STIL

Hans hjärta var nära att brista
Af bittraste jämmer och sorg;
Han skänkte henne sin kärlek,
Hon skänkte honom en korg.

Men fjorton dagar därefter
Så ångrade flickan sig
Och skref under bittra tårar:
"Kom åter, jag älskar dig!"

Hon väntade tåligt och länge,
Men aldrig hon fick ett svar.
De voro för alltid skilda
Och blefvo aldrig ett par.

Han brände upp brefvet oläst —
Det gick förvisso med glans —
Han trodde det var från skräddar'n,
Ty stilen liknade hans.

MR. GNATIG

En hundvalp skälde på honom en gång
Och nafsade efter hans ben.
Han jagade valpen gatan lång
Och stannade uttröttad se'n.

Invid hans fötter på gatan låg
En plånbok så diger då;
Han tog den upp och af dollars såg
Jämt 152.

Han blef väl glad, som man kan förstå,
Och hoppade högt från mark?
Nej, lika ilsken var han ändå
Att valpen ej fick en spark.

EN LITEN ÖNSKEVISA

Jag önskar jag vore en isbjörn
    Och bodde vid Nordens pol —
Då kunde jag le föraktligt
Allt åt den stekheta sol.

Jag önskar jag vore en fogel,
Som flöge i rymden blå,
Nog skulle förvisst jag svalkas
Af svala brisarne då.

Jag önskar jag vore en hvalfisk
Och summe på hafsens djup
Och kunde mig vederkvicka
Med mången en kallesup.

Jag önskar jag vore en mullvad,
Försedd med ett kyligt bo,
Där jag kunde ligga och latas
I allsköns trefnad och ro.

Men kan jag nu intet blifva
Af hvad jag härofvan kvad,
Så ville jag vara — "isman"
Och bo i Chicago stad!

BREFBÄRAREN

Af bref och tidningar han bär
En massa utaf skilda slag;
Sak samma huru vädret är —
Han kommer troget hvarje dag.

Han bringar månget kärleksbref,
Som skrefs af yngling, skrefs af mö,
Där innehållet alltid blef:
"För dig jag lefva vill och dö."

Han bringar slika bref också,
Där ena parten säger slut,
Och där så lugn han synes gå,
Han många "korgar" delar ut.

Han stundom glada budskap för
Och stundom tråkiga försann,
Med krafbref han oss ledsna gör,
I fall man ej betala kan.

Då ifrån älskadt fosterland
En hälsning varm till mig han bär,
Då trycker jag med kläm hans hand,
Ty då han städs välkommen är.

Uti de bref till mig han bar
Jag funnit vänskap, funnit svek,
Men allra gladast dock jag var,
När någon gång jag fick ett — "rek."

"DET EVIGT KVINLIGA"

Den ystraste häst hon rider
   Och tyglar den med sin makt,
Och ej är hon rädd att skjuta,
   När hälst hon är med på jakt.

En automobil kan hon styra
   Så käckt genom folkrik stad,
Och ut hon simmar på djupet,
   När hon i sjön tar ett bad.

Och äfven om helt allena
   I sena kvällen hon gick,
Ej fruktar hon fräcka männer —
   Hon skrämmer dem med sin blick.

Om långt öfver oceanen
   En resa hon göra må,
Ej räds hon för hafvets vågor,
   Hur skyhöga än de gå.

Och ståndar en "bargain"-försäljning
   Med folkträngsel, bråk och kif,
Hon står uti främsta ledet,
   Riskerande där sitt lif.

Ja, äfven i andra stycken
   Hon prof på sitt mod oss ger —
Dock skriker hon utaf rädsla,
   Då minsta råtta hon ser!

DÅ POJKEN VÄXER OPP

Bevars, hvad pojken blifvit stor!
    Jag knappast det förstår. —
Hur städs han hängde efter mor,
    Jag minnes som igår,
Hur han var bråkig, vild och yr
    Och sprang i "kort galopp" — —
Men rastlöst tiden framåt flyr,
    Och pojken växer opp.

Mig synes knappt en vecka gått,
    Se'n till mitt knä han kom
Och på sitt sätt, förlägen smått,
    En saga bad mig om.
Men fast han trifs bland flickor nu,
    Jag kan ej säga stopp;
Som ung jag gjort detsamma ju — —
    Och pojken växer opp.

Att gå och stå och sätta sig
    Han visste knappast nyss,
Och då han skulle tvätta sig,
    Så skrek han som en ryss,
Men nu kantänka är han vig
    Och fin från tå till topp,
Och det blir mera klart för mig
    Att pojken växer opp.

Att på hans lilla nötta sko
    En lapp blef stundom satt,

Ej brydde honom förr, måntro,
    Han tvärtom fann det gladt.
Numera slikt ej hända kan.
    Förty han satt sitt hopp
Att inom kort bli fästeman — —
    Ja, pojken växer opp.

Ett bref från honom läst jag har
    (Det skedde dock i smyg).
Hans unga kärleksbikt det var,
    Så rörande och blyg.
Och då jag brydde honom se'n,
    En rodnads sakta lopp
Uti hans anlet' märktes, men
    Min pojke växer opp.

Jag ock en annan breflapp fann
    (Om jag förtälja får)
Där den som skrifvit brefvet brann
    Af längtan, ljuf men svår.
Men då sad' han med glädje stor:
    "Du är en lustig kropp —
Själf allt det där du skref till mor" —
    Tja, pojken växer opp.

MISSIS DJAHNSON GÅR "DOWN TOWN"

Nu skall hon ut och "schappa"
      Och har så fasligt brådt,
Ty utaf lille pappa
      En sedel har hon fått.
Nog bodar hela raden
      Har Cedar avenue;
Men hon skall ned i staden —
      Ja, det begriper du!

Precis liksom ett näste
      Nog hennes hem ser ut.
Därvid hon sig ej fäste!
      Allt glömmes utan prut.
Ty missisen skall fara
      Till bargain-paradis,
Där hon kan inbespara
      På allehanda vis.

Nu hennes Eriksgata
      Går ifrån bod till bod
Och allting hörs hon rata,
      Som om hon allt förstod.
Hon vänder och hon kränger
      Uppå hvarenda bit,
Hon kastar och hon slänger,
      Så allt far hit och dit.

Men bodmamseller alla
      Och knoddar likaså

Af trötthet nederfalla,
Där som hon fram ses gå.
De samfäldt henne önska
I hast till häcklefjäll — —
Att hennes graf må grönska,
Och hon må sofva säll.

Men när hon återvänder,
Då snart det afton är,
Det allt som oftast händer,
Att det går till så här:
Hon orörd har sin kassa
Och hemför, detta kvins,
Proflappar blott i massa
Och — några "safety pins"!

DEKADANS

Modärniserad ballad

Långt bort uti forna tider
    Det lefde en adelsman;
Så stolt och så yfverboren
    Var ingen i trakten som han.

Och gods och gårdar han ägde
    Förvisso i hundratal,
Men torparne höll han som slafvar
    De ledo plågor och kval.

Och släkten blef mäkta ansedd
    Som rik på anor, ja men,
Och många konungasöner,
    De togo sin brud ur den.

Men allt hvad seklerna svunno
    — De gå så ledigt och lätt —
Så kom den väl uppå dekis,
    Vår styfva, anrika ätt.

Och herrarne blefvo tvungna
    Att själfva tjäna sitt bröd
På många olika banor,
    Att undvika svält och nöd.

              *   *   *

Det hände i dessa dagar
    — I vår tid, som kallas ny —
Det var ett par som sig gifte
    Allt uti en liten by.

Och bröllopsgästernas gamman
    Förnams mellan skål och vägg:
Men af den där adelsmannen
    Var bruden en ättelägg.

Dock — ingen tänkte väl därpå,
    När dansen stod högst i fläng,
Att hon var en adelsjungfru
    Och han var en — torpardräng!

DEN NYA KVINNAN

En toffelhjältes klagosång

Jag är Charlie Johnson från Säby
  Samt har både hustru och baby,
Och jag hafver diktat en visa,
Hvari jag min gumma vill prisa.

I åratal har hon studerat,
Från college med glans graduerat,
Hon talar latin som en Cæsar —
Så bra som en stockholmsgrabb "kväsar"

Hon skrifver om stenålderns yxor;
Men fransar, det ha mina byxor,
Min väst är renons uppå knappar,
På rocken jag satt ett par lappar.

Hon kan sin Zola som en läxa,
Och Tolstoj syns henne förhäxa,
Men om än mitt tålamod tröte,
Hon skulle sig trösta med Göthe.

Och medan jag sopar och diskar,
Med Ibsen hon ljuft sig förfriskar.
På bicykel synes hon trilla,
Då jag "leker häst" med den lilla.

Hon styf är i filosofien
Och likaså i poesien,
Hon hypnotiserar för rästen —
Predikar långt bättre än prästen.

Då jag torkar fat och assietter,
Hon röker ett par cigaretter;
Men stundom, när bäst jag till gagn är,
Så får jag ett stycke af Wagner.

Men om understundom jag knotar,
Med käppen hon genast mig hotar
Och säger att "här skall du finna
En utvecklad, upphöjd 'maninna'!"

Hon blir väl professor — det bäst är —
Men då skall jag anställa fäster — —
För glädje jag knappast kan tiga,
Ty då få vi råd att ha piga!

Då skall Charlie Johnson från Säby — — ˎ
För katten! Nu vaknar vår baby,
Och vaggan jag åter får gunga
Samt "Lullaby, baby sweet" sjunga.

DEN STORA CHICAGO BRANDEN

År adertonhundra och sjuttioett
    Den nionde da'n i oktober
Då hände det, ledigt och ganska lätt,
Att staden vardt röd som sinober,
Och orsaken var, som ni nog kan tro —
Just missis O'Leary och hennes ko.

Det var en brasa — "you bet your life"
Hvars like man ej fått skåda.
Den som då hade svärmor och "wife" —
Var viss, han ej räddade båda!
Med hustru sin syntes han ensam gno —
För missis O'Leary och hennes ko.

Då rasade elden med hiskligt brak
Precis likasom i Gehenna.
Chicago blef rensopadt, blef ett vrak;
Det skedde uti en "vänna."
Då ned till grunden brann mången bro —
För missis O'Leary och hennes ko.

Men kusligt var det nog nästa dag;
Då gällde att ha en flaska
Och icke "kicka" mot ödets lag
Men flitigt fukta — sin aska.
Och bygga hastigt ett annat bo —
För missis O'Leary och hennes ko.

Snart växte åter Chicago stad
Som ingen annan på jorden.
Skyskrapare stå nu här rad i rad
Snart sta'n den förnämsta blir vorden,
Och lycka samt välstånd här åter gro —
Hell missis O'Leary och hennes ko!

EN KRIGSMAN SÅ BÅLD

Uppå en upp- och nedvänd lår
   Han hade stigit opp,
Ett mäktigt ordsvall inom kort
Ifrån hans läppar lopp.
Han var en trogen patriot
Med tapperhet så stor
Och svor uppå att utan nåd
Förgöra hvar spanjor.

För kryssare och örlogsmän
Han ej förfärad var
Och för torpedobåtar han
Ej minsta fruktan bar.
Han ville bli den förste att
På Cuba gå i land
Och själfve Blanco skulle snart
Få falla för hans hand.

Med bäfvan lyssnade jag till
Slikt tal om hjältemod,
Och genom mig en kåre lopp,
Som isade mitt blod.
"Om denne tappre patriot
Blott går i kriget ut,"
Jag tänkte, "skall nog Onkel Sam
Bli segrare till slut."

Så kom en liten kvinsperson
Så mager, tunn och blek,

Hon blickade på talaren
Hvarpå hon ilsket skrek:
"Du, Jonathan, ditt lata nöt,
Stig oförtöfvadt ned! — —"
Och "patrioten" lydde, han,
Och följde snopen med.

TILL "HENNE."

Du är liksom en blomma,
   Så vän, så skön och så rar.
O, att jag som en crysantemum,
Dig i mitt knapphål bar!
Då vore du nära mitt hjärta
Och hörde dess friska slag —
Och jag sparde mycket pängar
På blommor för hvarje dag.

DEN KÄRLEKEN

Två själar och en tanke,
   Två hjärtan och ett slag —
Det är hvad skalden påstår,
Just kärlekens behag.

Två trutar och en träta,
Två näfvar och dito två
Och ett par "blåa ögon" —
Det är slut med kärleken då.

DEN TRADITIONELLA JULKVARTETTEN

I denna härliga kvartett
Hvem är väl, månne, numro ett,
Som promenad gör utför strupen? —
Jo, många namn man honom gett,
Men jag för min del vet blott ett:
Jag kallar honom lilla supen.

Och den, som följer se'n därnäst,
Bland alla rätter smakar bäst;
Jag svär det tryggt och vågar risken
Samt slår på lutan för den lut,
Hvari han luttrad blir till slut,
Den genomgoda, rara fisken.

Den tredje, som här plats har fått,
Från barndomen mig smakat godt,
Fast mången ratar den — de nöten!
Han är just gjord att rimma på,
Och ej för mycket kan jag få
Af den kanelsbeströdda gröten.

Den fjärde dock i alla da'r
Nog utan tvifvel "basen" var —
När hälst jag sågen strax jag högg'en.
Så ren ej Amors flamma är
Ej häller är den mig så kär,
Som den som sprids från tända glöggen.

DENSAMMA

Hvem vann mig väl med trolldomsmakt,
Med enkel fägring utan prakt?
Hvem tjusade mig med sin blick,
Som rakt till hjärteroten gick?
Amanda.

Hvem lyssnade väl till min bön
Och syntes därför dubbelt skön?
Hvem svarade ett blygsamt "ja"
Och sände mig till himlarna?
Densamma.

Hvem kysste jag i månljus natt,
När säll uti mitt knä hon satt?
Hvem lofvade att bli för mig
Det käraste på lifvets stig?
Min flamma.

Hvem blef väl, klädd i bröllopsskrud,
Min egen maka inför Gud?
Hvem kallade mig, skön och ung,
Sitt ideal, sitt hjärtas kung?
Amanda.

*   *   *

Hvem snäser mig för hvarje dag.
Hvem bjuder mig på hugg och slag?
Hvem klöser mig med sina klor? —
Jo, just (fast knappast ni det tror)
Densamma.

VARA OCH SYNAS

Uppå en finfin restaurant
Han trippar in och slår sig ned;
Han är den dude, högst elegant,
Och för sig enligt dudars sed.

En kypare så svart som sot
Sig ställer vid hans sida se'n
Och väntar tåligt utan knot
Och klagan på beställningen.

Men duden i sin bill of fare
Med läckerheter utan tal
Så innerligt fördjupad är
Och dröjer länge med sitt val.

Nog vattnas det uti hans trut....
Men fastän matsedeln är lång,
Han ifrån början och till slut
Den genomläser gång på gång.

När så förrunnit har en kvart
Han täckes sin beställning ge
Till kyparen, så ful och svart:
"Två bakelser och en kopp té!"

PRAKTISKT

"Mitt lefnadsljus skall du vara."
Han ropte i vild extas. —
"Is that so?" hördes hon svara,
"Då slippa vi bränna gas!"

OMVÄNDT

Förr'n han var gift var han så säll
Och sjöng från morgon och till kväll.
Nu får han bära på sin skatt,
Sin lilla baby, hvarje natt;
Nu sjunger han af hjärtans grund
Från kväll'n till arla morgonstund.

KÄRLEKSVÅNDA

Om än små näpna snärtor
Ses gråta med besked,
Och tårar liksom ärtor
Från kinden trilla ned,

Och lilla hjärtat värker
Och allt så dystert är —
Du, karlslok, ej det märker,
Förrän du själf är kär!

VIN, KVINNOR OCH SÅNG

Efter tyskan

Ett gammalt ordspråk fins, som lär
Oss älska kvinnor, vin och sång;
Jag följt det — men jag tillstår här
Att jag mig ångrat mången gång.

O, kvinna, kvinna — falsk du var!
Och vinet var förfalskadt ock;
Hvar visa falskt jag sjungit har,
Så att de rört båd' sten och stock.

POLISEN PETERSONS POJKE PETE

Polisen Pettersons pojke Pete
Är liten än, men af präktig släkt,
Och alla pojkarna på hans street
För honom bära så stor respekt,
Ty fruktad är han för faderns skull,
Och fast han orsakar kif och split,
Af stryk han aldrig får huden full,
Polisen Pettersons pojke Pete.

Polisen Pettersons pojke Pete
Kan göra nästan allt hvad han vill.
På ondsko nyttjar han blott sitt nit
Och alla konster han känner till.

Är någon grannkvinna stundom vred,
　Af rädsla blir han dock aldrig hvit,
Ty intet vågar hon göra med
　Polisen Pettersons pojke Pete.

Polisen Pettersons pojke Pete
　En dag sig gjorde så fin och ren,
Tog på sin allra bästa habit
　Och fick sin pappa väl följa se'n.
Så stolta bägge på gatan gå
　Till vaktkontoret uppå visit,
För att konstaplarna skåda må
　Polisen Pettersons pojke Pete.

Polisen Pettersons pojke Pete
　Man trodde dock arresterad var,
Och han blott hunnit en liten bit,
　Då han blef åtspord utaf en karl.
"Go way back!" svarade pojken då,
　"Du har visst pimplat för mycket sprit,
Jag är — det borde du då förstå —
　Konstapel Pettersons gosse Pete!"

POLISSÅNG

O, yngling, om du hjärta har
  Att uppå irländskt vis,
Gå genast till din stads försvar
Och blif en bra polis!

Så ljufligt är ej något rus
Ur bägaren så full
Så härligt icke gasens ljus
Som att få gå patrull.

Hvar tidning snart ditt hjältenamn
I sina spalter för,
Och chefen skall ta dig i famn,
När ditt beröm han hör.

Ditt bröst skall ock en stjärna få;
En köksa glad och fri
Skall till ditt pass med "fylle" gå
Och sist din gumma bli.

DYRKÖPT GLÄDJE *

Sin första "sleigh ride" för i år
    Hon får, vår rara vinterflicka,
Och helt naturligt hon förstår
Att då på bästa vis sig skicka.

Vid sidan sitter hennes vän,
Och rastlöst går det utåt landet —
    Han är den bäste ibland män,
Fast allra först i dag hon fann det.

Tätt tryckt intill sin väna mö
Med stadig hand han henne skjutsar,
    Men fast det råder väldigt tö,
Hon rädes ej en smul för pussar.

Till sist man måste vända — ack!
Och snart är lilla fröken hemma,
    Då hviskar hon ett saligt "tack!"
Och ömt vibrerar hennes stämma.

Hans glädje dock af annan sort
Nog är, som vi nu här förnimme:
    Han gläds att trippen var så kort —
Den kosta' $5 pr timme!

EN LITEN EPISOD

Jag råkat blifva osams med min tös,
  Det hände för en vecka se'n en balnatt
Den lillas varma kärlek hade svalnat
Och utaf sorg mitt stackars hjärta frös.

Då sände hon i lördags mig ett bref,
Och glad jag blef, förstås, förutan måtta,
"Möt mig i morgon afton kl. 8
På vanligt ställe!" — Så min flicka skref.

I glädjen tog jag mig ett lindrigt rus
Och kunde knappast sofva under natten.
Jag tänkte bara på den lilla skatten — —
Min lefnads himmel syntes åter ljus.

Och söndagen blef fasligt, fasligt lång.
Jag närapå förgicks af idel längtan
Allt starkare den blef, min ömma trängtan.
Och uppå klockan såg jag "gång på gång."

Så blef det kväll, se'n dagen flytt sin kos;
Jag rusade åstad till mötesplatsen
I ny kostym och fin "stovepipehatt" se'n,
Och uti knapphålet jag bar en ros.

Nu skratte gärna åt mig den som vill!
Ett slikt spektakel mig ej händt tillförne:
En timme minst så stod jag där i hörne' —
Mitt arma nöt! — Jag narrad var april.

ÖDETS UNDERBARA SKICKELSE

eller hur den fattiga köksan blef gift med den rike
patronens son.

Mel: "På Öland bodde en flicka skön."

H on hette Lena och hon var rar;
Fast blott som köksa i tjänst hon var
Hos en patron uti södra Skåne,
Som lefde glad och var klädd i "måne".

Han hade också en enda son,
Som uti läsvägen var ett fån;
Ty fast till högskolan fadern sändt 'en,
Så kunde aldrig han "ta' studenten".

Men sköta hästar, det var hans sak;
För dem han hade en afgjord smak,
Och fast ej fadern såg något i'et,
Gick sonen in vid kavalleriet.

Nu, gudbevars, var han "milangtär",
Fast intet mera än voluntär;
Men hvarje flicka i hela trakten
Till slaf han gjorde med tjusarmakten.

Han hette Karl, var en glad garçong,
Som hade roligt och lefde "bång",
Och umgås fick han med adelsfjantar,
Tack vare farsgubbens många slantar.

Men bland de kvinnor han tjusat re'n
Var lilla Lena förvisso en;
Hon hörde dock till de missbelåtna;
Ty aldrig någonsin såg han åt'na.

Och se'n det hände vår herr patron
Att oförmodadt han gör cession;
Och Karls var felet — jo, den var go', san!
Men till Amerika styr han kosan.

Här var han herre, se'n blef han slusk,
Och allra sist tog han plats som kusk.
Det var det bästa, minsann, att göra,
Isynnerhet som han kunde köra.

Men nästan samtidigt Lena kom
Till detta land för att se sig om.
Att tjäna pängar och göra lycka,
Och ingen kan henne det förtycka.

Och till St. Paul kommo båda två.
En "stadig" plats syntes Lena få;
Men Kalle var inte just så noga —
Blott korta tider han ville knoga.

Tre år därefter, uppå en bal,
Så möttes bägge på Mozart Hall.
Då hade Lena sex hundra daler,
Men Kalles kassa var fasligt skraler.

Men kär i honom hon ännu var,
Fast han ej längre var herrekarl —

Och se'n så kan ni nog gissa rästen:
Till ett de gjordes helt snart af prästen.

Nu mera stadig blef Kalles stråt,
Men hustruns pängar han ej kom åt,
Dock skönt han mådde, fick god traktering,
Ty Lena öppnade matservering.

TELEFON PÅ LANDSBYGDEN

Den gamle farmaren Anderson
Berättar detta om telefon:

På våra trakter det var i fjor,
Som högfärdsdjäfvulen i oss for,
Ty mången fans där som hördes säga
Att telefon skulle snart han äga.
De gåfvo icke sig ro och rast,
Förrän en linie blef bygd i hast,
Och nästan hvar och hvarannan stuga
Fick instrumenter som hette duga,
Och dessa prydliga instrument,
De satte lif i vårt settlement,
Ty man behöfde ju bara ringa
För att få klockan att muntert klinga.

En fick väl Swansons, och Johnsons en,
Och Carlsons, Hansons och Larsons se'n.
Ett ringningsnummer de alla hade,

Som klart och tydligt ådagalade,
Hvem kallet gällde, förstår man ju —
Just 1, 2, 3, 4, 5, 6, 7.
Och sedermera så långt det räckte,
Dit linietrådarna ut sig sträckte.
Nu blef det roligt af hjärtans grund.
Att prata bort mången ledig stund
Med gamla vänner som bodde fjärran;
Man hästen sparade ju och kärran
Samt ej så litet besvär och stök,
Som äro vanliga vid besök.
Men på den oseden snart man fann
Att börja lyssna uppå hvarann,
Ty då ej ringningen var ens egen,
Blef den, som hörde den, angelägen
Att instrumentet få nalkas gladt
Och uti hörluren gripa fatt
Samt lyssna till hvad de andra sade
Och hvad som de att berätta hade.

Det skulle likväl de icke gjort,
Som sedermera man klart försport.
Så t. ex. ju erfor Hanson
Att "nöt" han kallades utaf Johnson,
Och missis Larson fick reda på
Att Carlson plägade hustrun slå.
Men Swansons pojke blef redobogen
Att slåss, ty fästmön hans var ej trogen —
Det fick han erfara långt ifrån,
Tack vare lyssning i telefon.
Ja, mångt och mycket i samma anda
Ju kom familjerna rakt tillhanda;

Nog lögn och skvaller förr funnits ju,
Men ej så hiskligt och svårt som nu.
Och värre osämja man ej sport än
Hvad nu det uppstod på denna orten.
Mer kunde sägas af samma sort,
Men bäst det är att sig yttra kort.

En bättre framtid man dock nu skådar,
Ty nederrifna ä' alla trådar
Och mången stolpe, som stod i led,
Har väl för yxan fått stryka med,
Och förr i kanten nog spricker månen,
Förr'n där man återtar telefonen.

EN ILLUSION

I spårvagnen sutto allena
En sven med sin tärna blid,
De foro i kvällen sena,
Då allting var stilla frid.

Jag såg deras läppar röras
Liksom till konversation.
Dock kunde där icke höras
Ett ljud af konversation.

Jag spanade angeläget
Och sist jag förvånad fann:
Hon tuggade gummi träget;
Men pluggtobak tuggade han.

LUGN I STORMEN

I vilda vågor sågs hafvet gå
  Vid blixtar och åskeknall,
Och molnen syntes så tunga, grå,
  Och våldsamt var rägnets fall.

Ett skepp sågs dra öfver hafvet fram,
  Men genom tackel och tåg
Man vindarnes hemska sång förnam,
  Och död i den sången låg.

En yngling, knappast mer än ett barn,
  Dock lugn uti stormen stod.
Fast skeppet kastades som ett flarn,
  Hans sinne var fullt af mod.

Ej skrämdes han utaf stormens röst,
  Ej bäfvade han ett grand.
Ej rädsla fans i hans unga bröst;
  Ty pojken stod trygg — på land.

EFTERKLANG FRÅN JULEN

Carl Petter, han älskade grufligt Lovis,
  Och hon syntes genkärlek skänka.
Som dufvor de kuttrade båda precis,
När stjärnorna små syntes blänka.
Ett kärare par du ej någonsin sett,
Ej häller du kommer att se det — you bet!

Så gingo med fröjd några veckor sin kos
Till sista tacksägelsedagen.
Då hände det sig, ifall ryktet får tros,
Att älskaren grymt blef bedragen —
Carl Petter, den stackaren, fick sig en korg,
O, fasliga jämmer! O, gräsliga sorg!

Ja, alla de grufliga marter, han led,
Jag fåfängt försöker beskrifva,
Och vännerna kommo, som är deras sed,
Att älskarens sinne upplifva.
Men lyssna han gitte ej till deras röst
Och ville ej taga den ringaste tröst.

Ty han hade fattat ett vådligt beslut
Sin lifhank i hast att förkorta.
Hans glädje och lefnadslust nu voro slut,
Så går det, när vettet är borta.
Men sättet att dö — om med gift eller rep,
Pistol eller vatten — det därvidlag knep.

Men da'n före da'n före doppareda'n
Si då fick han ljus uti saken.
Då uppsprang med ens i hans hjärna en plan
Till hvilken man aldrig hört maken.
Beslutsamt han ropar (han var inte ful):
"De' ä' bäst att jag äter ihjäl mig i jul!"

EN LITEN FABEL

Djupt inne i vilda skogen
Det växte så högt ett träd,
Som sina väldiga grenar
Helt vida omkring sig spred.

En dag hördes trädet tala
— Slikt lärer ju förr ha ägt rum —
Ehuru i våra dagar
Hvar trädstam står tyst och stum.

"Mig synes jag gör ingen nytta,
Står snarare här till lyx.
Jag undrar, hur snart jag faller
För skogmannens skarpa yx.

Men hvad det blir af mig sedan,
Jag ej utfundera kan.
Måhända en prydlig flaggstång,
Som reser sig hög och grann?

Skall kanske ett skepp jag pryda
Som köl eller såsom mast,
Eller skall som telegrafstolpe
Jag fjättras med trådar fast?"

Så fäldes ändtligen trädet;
Det gjordes af stammen "big"
Af den ena hälften — tandpetare,
Af den andra — halftumspligg!

SVÄRMERI

På dig "hvar timma och hvar stund"
  Jag tänker utaf hjärtats grund,
 Du, som dig döljer uti fjärran.
Skall någonsin du blifva min?
Jag spörjer med vemodigt sinn'
  Och svarar själf: det vete herran!

Af längtan blir jag nästan vild;
Jag ser din dyra, ljufva bild
  Hvarhälst jag vill i dagens timmar,
Och sedan natten sänkt sig ned,
Så följer du i drömmen med
  Mig stackare, som här nu rimmar.

Du kom till mig en enda gång,
Men din visit blef icke lång,
  Ty ett tu tre var du försvunnen.
Men städse på min lefnadsstig
Skall troget än jag söka dig,
  Till dess en dag du varder funnen.

O, kom tillbaka, lilla du,
Som förr, och hvila åter nu
  En liten stund invid mitt hjärta!
Jag vill dig smeka, öm och huld,
Du, som för mig är "god som guld",
  Du, som kan lindra all min smärta!

Och får jag dig en dag till slut,
All sorg och skuld skall plånas ut:

Du är det bästa botemedel.
Dock — kanske blir min glädje kort,
Ty mins jag rätt, du snart flyr bort,
Du sköna — hundradollarssedel!

HUR DET KYSSES

Det kysses oförtrutet
I denna vida värld.
Vår jord blir kysst af solen
Och månen på dess färd.
Sin dotter kysser modern,
Och fadern ömt sin son.
Polisen kysser Maggie,
Rebecka kysser Kohn.

Af fjäriln kysses rosen,
Af daggen blommans kalk.
Profryttaren af "jungfrun"
Stjäl kyssar som en skalk.
Brudgummen kysser bruden,
När ingen på dem lyss,
Och gamla nuckor kyssas
Med dödens kalla kyss.

Rägnbågen, grann och praktfull,
Ses kyssa hafvets våg,
Och damerna hvarandra
Jag ofta kyssa såg.

Sin skönas rika lockar
Tillbedjarn kysser gladt,
Och fästmön kysser bilden
Utaf "sin egen skatt".

De nakna träden kyssas
Så ömt af första snön.
Sin mops — i brist på bättre —
Hon kysser, gamla mön.
Det kysses, när man nalkas
Och lämnar hemmets härd —
Det kysses oförtrutet
I. denna vida värld.

ATT HYRA

En blåögd mö uti mitt hjärta satt —
Som hyresgäst hon där sig slagit ned.
Var det på allvar, eller blott på spratt,
Att då hon gick, hon ock tog nyckeln med?

"Att hyra" nu mitt tomma hjärta står,
Och skylten öfver allt jag med mig tar,
Dock ingen annan hyresgäst jag får:
Det är ju stängdt, och hon dess nyckel har.

Mitt arma hjärta, jag förvisst det vet,
Skall aldrig någon annans bli än ditt.
Förlåt din hyresvärds försumlighet.
Kom åter och du får det hyresfritt!

MR. VINGELMANS FILOSOFISKA BETRAKTELSER

M an vet, att natt kommer efter dag,
Och efter ruset behof af vatten,
Och efter njutning af många slag
Nog ångern kommer som tjuf om natten.

Glöm ej, du stolta och fagra mö,
Som synes oss som en himmelsk hägring,
Att efter lefva det kommer dö —
Förgängelse efter jordisk fägring.

Visst kämpas ut mången inre strid
I rik mans slott och i arm mans boning;
Men efter striderna kommer frid,
Och efter hat kommer ljuf försoning.

I raskt galopp och i muntert traf
Mot gyllne kalfven ses män'skan ila,
Men loppet småningom saktar af,
Och efter det kommer grafvens hvila.

Ja, stormar rasa i våra bröst,
Och ofta känslorna skifta formen.
På sommar ljuf följer kulen höst,
Och fridfullt lugn kommer efter stormen.

Att samla litet af mammons skräp
Man gnor och arbetar som en galning,
Men efter dagar af bråk och släp
Så kommer mödornas lön, betalning.

Så sant som jag heter Vingelman,
En sak dock fins, som mig mäst förtörnar.
Det är, att städs jag i lifvet fann,
Att efter mig komma mina björnar.

EN GANSKA LITEN VISA

för ombytes skull

F e m små cigarrer i ett paket,
En liten gosse som köper det.

Köper och röker, hvarpå han får
Sjukdomar f y r a — jo, det förslår!

Läkare t r e vid sjuksängen se'n,
Olika meningar ha hvar och en.

T v å likbesörjare se'n, som gå
Kring uti huset så tyst på tå.

Ännu en graf man på kör'gåln ser —
E n rökare mindre — en ängel mer.

Läsare, nu kan du dra en suck,
Slut är på visan, som skrifvits af Guck.

TILL MIN GAMLA HALMHATT

I brist på annat ämne i dag jag kväder
En stump i detta härliga sommarväder
Allt om en ful och afdankad hufvudbonad,
Se'n lyran vederbörligen blifvit "tonad".

Hallå, du gamla, urblekta, gula halmhatt!
Nu råder sådan hetta och sådant kvalm att
Jag nästan varder frestad ta dig till nåder,
Ehuru mycken skröplighet vid dig låder.

Jag mins den da'n jag köpte dig i fjol våras,
Och hur jag trodde damerna skulle dåras,
Då mig de fingo se i nytt hufvudstycke —
Men däraf blef, gudnå's så visst, inte mycke'!

Och "krympt", det blef du duktigt — det var en p-dag,
Som troget följer efter hvarenda fredag,
Men när jag hemåt lunkade, klädd i ny hatt,
Jag kände mig precis som jag burit blyhatt.

Med dig uppå jag nickat så mången kvick nick,
Och du fått vara med om så mången picknick,
Där jag att släcka törsten använde fliten — —
Men då, du gamle vän, kändes du för liten!

Du varit med också om en världsutställning,
Där solen på dig åstadkom färgens fällning,
Och du har varit ute för mången rägndusch,
Då jag i brådskan ej funnit skydd och hägn, usch!

Till följd hvaraf betydligt du mistat formen,
Men bättre är du dock än den tunga "stormen".
På dig har flugpatrasket satt fula fläckar,
Hvars mångfald att begagna dig nu mig gäckar.

Men tiderna ä' usla af bara katten,
Och mynt det tar ånyo att "bli i hatten".
Den är ju ännu oafgjord, tulltariffen,
Och dyrt är brödet, smöret samt äfven biffen!

Så, när jag tänker närmare uppå saken,
Får jag åsidosätta den goda smaken,
Och får du hänga med äfven denna "season",
Se'n jag dig tvagit ren ifrån fluge-"greasen"!

ETT BARNDOMSMINNE

När jag såg henne först var hon tre fot lång,
  Och icke stort längre var jag.
Hon tumlade om under lek och språng
På gården en sommardag.

Och lockarne fladdrade fritt för vind',
Där skälmskt hon i gräset satt,
Små rosor bodde på liten kind
Och af silfver klang hennes skratt.

"Kom, sätt dig nu neder och säg mig ditt namn
— Jag heter Elvira, jag" —

Hon sade och sträckte mot mig sin famn
Med okonstladt välbehag.

Med motvilja lydde jag hennes bön.
— Så tölpaktig var jag, mitt fån! —
Och fastän jag fann henne nätt och skön
Jag önska' mig långt därifrån.

"Jo, jag heter Kalle", jag svarade skyggt
Och blygare var jag än nyss. —
Då lade hon armen omkring mig så tryggt
Och läspade: "ge mig en kyss!"

Hon räckte mig munnen — men upp jag då for
Så vild som den hemskaste uf.
Jag tror, jag vill minnas, att äfven jag svor,
Och flickan — hon fick sig en "luf".

* * *

Se'n dess ha förrunnit väl aderton år;
Vi vuxit till kvinna och man.
Jag älskar Elvira, men sorgsen jag går;
Ty hon — ja, hon älskar en ann'.

ETT VÄLMENT RÅD

O, flicka, om dig hjärtats frid är kär,
, Du dig med ord och blick försiktigt skicke;
Af friare det städse fullt upp är,
Men gifta sig — det vilja alla icke.
Vet, aldrig älskaren blir mera varm
Än när med halfva löften han bedrages.
Han rasar — men du ler blott åt hans harm,
Och uti nätet han behändigt tages.
Ju mera vred den stackarn är,
Du desto förr blir honom kär.

Var blott försiktig, tag ej eld för snart,
Ifall frutiteln du försöker vinna.
Kanhända junkern är utaf den art,
Att han sig söker blott en älskarinna.
Nej, gäcka honom och hans falskhet stor
Och drag en trollring omkring kurtisören —
Han skall bli slaf, där han som kung sig tror,
Tag endast sminket bort ifrån aktören!
Och sedan står då stymparn där
Och suckar: "Ack, hon är mig kär!"

SÅ GÅR DET

I fjor var jag en mycket yster herre
   Med sinne blott för nöjet och behagen
Och syndade, gu'nås, jag gjorde värre;
Men därför "svor jag af" på nyårsdagen.

Jag svor att Bacchus aldrig mera dyrka,
Att icke komma med min fot på krogen,
Men "joina" någon svensk och treflig kyrka;
Ty att bli omvänd var jag redobogen.

Jag svor att icke efter kvinfolk löpa,
Ej gno omkring på baler och konserter,
Att inga öfverflödsartiklar köpa,
Och aldrig mera "dra en liten hjärter".

Jag svor att tobak icke mera bruka
I någon form — ej röka, tugga, snusa, — —
Jag svor, att ingen mer mig skulle stuka
Med frestelse att mig så svårt berusa.

       *   *   *

Dock blefvo korta dessa dygd-strapatser,
Och nu som förr jag åter muntert stimmar;
Ty alla dessa vackra föresatser —
Dem höll jag blott — i 24 timmar.!

OKLAHOMA

B ort nu med sorgerna och bort med besvären,
Ty man har påträffat nya landamären
I Okla-Okla-Okla-Okla-Okla-Okla-homa.

Där kan en landbit man få utan kassa;
Därföre folket har strömmat ut i massa
    Till Okla- etc.

Dit, där som fordom man blott såg indianer,
Styrde helt nyss ju så många karavaner,
    Till Okla- etc.

Dit drogo söner och döttrar och fäder,
Och första dagen man bygde ett par städer
    I Okla- etc.

Guthrie så hette den ena vill jag mena
Och man förvisso rörde uppå bena,
    I Okla- etc.

På morgonen gick man så gladelig till fältet
Med knif uti hand och pistolen uti bältet
    I Okla- etc.

Den som var starkast och hade största "cheeken",
Knep sig en hörntomt — en annan blef besviken
    I Okla- etc.

Aftonen kom, och uti den nya staden
Fans både spelhus och krogar hela raden
    I Okla- etc.

Tio tusen själar den nästa dag man täljde,
Och magistrat samt borgmästare man väljde
    I Okla- etc.

Den som har lust kan ju Oklahoma gästa;
Men af genier är födgeni det bästa
    I Okla- etc.

Om du är fattig och "lissen" till humöret,
Res blott ditut och du kommer upp i smöret
    I Okla-Okla-Okla-Okla-Okla-Okla-homa.

EN HYGGLIG POJKE

Ibland den hop af pojkar, som jag känner,
    Är Johnsons Charlie "numro ett", go' vänner.
Den pojken är så innerligen rar,
Att här en visa han förtjänat har.

Han köper aldrig snask och karameller
Och läser icke tiocentsnoveller.
Hur tom och hungrig han än månde bli —
Han stjäl dock ej ur moderns skafferi.

Ej bryr han sig om paj och omeletter,
Och ej i smyg han röker cigaretter.
Ej springer han omkring åt alla håll,
Och ingen lust han har att spela boll.

Ja, Charlie är bestämdt en pojk, som duger;
För far och mor han aldrig nå'nsin ljuger.
Ohöfviskt tal för honom fjärran är,
Och aldrig kan det hända att han svär.

Ej fins en massa skräp uti hans fickor,
Och aldrig är han stygg emot små flickor.
I slagsmål än har honom ingen sett,
Och andra pojkar ej han öknamn gett.

Från grannens trädgård frukt han aldrig snattar,
Och ej förstör han kläder, skor och hattar.
I skolan aldrig det inträffat har,
Att han för olydnad fått "stanna kvar".

För mycket annat Charlie prisad blifvit;
Dock må det vara nog hvad jag beskrifvit.
Så skön, så ljus, så lång hans framtid står:
Om fyra måna'r fyller han — ett år!

EN KATASTROF

På ett hotell uti Chicago bodde
En fin och pyntad, men politisk snobb,
Och hela dagarne omkring han gnodde
Att få i stadens tjänst en präktig job.

Han mycket punktlig var i sina vanor
Och gick hvar morgon klockan åtta ut
Att traska träget på de skilda banor,
På hvilka målet skulle nås till slut.

Men när som kammarjungfrun gjorde ronden
I tisdags morse — klockan nio var —
Så tänkte hon: "han är väl ej uppstånden;
Ty dörren innanför han reglat har."

En timme senare hon hördes bulta
Med hårda slag uppå den stängda dörr,
Men därifrån till sist hon måste stulta;
Ty innanför var lika tyst som förr.

Och likadant hon gjorde kl. 11
Och kl. 12 samt äfven kl. 1,
Men intet svar! Hon började att skälfva
Och tog till sist till värden sin reträtt:

"Vår gäst, som bor i numro 98,
Han är visst död; därinne är så tyst;
Jag bultat har på dörren utan måtta.
Men jag som svar förnimmer ej ett knyst."

Ett sådant tal, det kunde värden egga,
Det är ju tydligt, och det är ju klart;
Ty letade han på en väldig slägga,
Gick raskt dit upp, slog dörren in med fart.

Men ej var synen hemsk, som där man fann den,
Och flat blef värden, jungfrun ock därnäst;
Ty med en morgontidning uti handen
Och ifrigt läsande där satt vår gäst.

Då blickar vredgad upp hans höga dudskap:
"Säg, hvarför detta bråk ni tillställt har?
Jag här studerar presidentens budskap
Och jag har endast — 4 spalter kvar!"

LI HUNG CHANG

Men nu vill jag sjunga om Li Hung Chang,
Den urgamle glade kinesen,
Som klifvit så högt uti ära och rang,
Och af hvilken man gör ett sån't väsen —
Just den som nu i Europas land
Tar käjsare, kungar och furstar i hand.

Af "solens herr broder och månens kusin"
Han fick permission till att resa.
Nu klappar han flickor, nu pimplar han vin,
Och öfverallt syns han kinesa.
Men jackan, den gula, den bär han så stolt
— En jacka för öfrigt, som liknar en kolt.

En tid har han gästat hos ryssarnes zar
Och kikat på allt uti Moskwa.
Har sett den förmåga, som knutpiskan har
— Den brukas ju utan allt pjåsk, hva?
Och ännu i munnen han smaken har kvar,
Af ryssarnes bränvin och rysk kaviar.

I Tyskland där fjäskats för honom galant,
Därom äro alla vi visse;
Ty käjsaren fann honom högts inträssant
Och så gjorde desslikes Bisse.
Och där åt han saurkraut, där drack han bier
Kinesernas urstyfve storvizir.

I Frankrikes hufvudstad, i Paris
Han haft många fästliga stunder,
Och uti österländsk, vild kurlis
Han skådat en hel hop "under".
Och vildt berusande, glad can-can
I träskor han dansat, vår Li Hung Chang.

Men just som jag hopskrifver denna rad
Utaf hans resehistoria,
Så dväljes han uti Londons stad,
Som gäst hos drottning Victoria.
Och engelsk han blifvit i ett och allt
Samt — saltar sin föda med engelskt salt!

OLYCKLIG FÖR SIN KÄRLEK

På Halsted Street det hände härom kvällen,
    Att en polisman traskade patrull;
Men fast han "tittat in" på flera ställen
Så var han eget nog dock icke full.

Och som han går där och sig stolt hofverar,
Om snabb och välförtjänt befordran viss,
Så ser han en figur, som smått loverar
Och si — det är en ganska lifvad miss.

Hon kommer honom mycket snabbt till möte
Och synes utan all slags fruktan ta
Den väldige konstapeln i sitt sköte —
Just som förälskade för plägsed ha.

Hon hviskar: "kärlekskval jag lider grymma
För din skull, ty jag älskar endast dig.
O, vill du blott som jag, så låt oss rymma
Och njuta kärleksfröjd evinnerlig!"

Konstapeln blef naturligtvis generad
Och sökte blott att hastigt komma lös;
Men fåfängt — ty än mera exalterad
Och vildsint blef den älskogskranka tös.

Och lofva måste han den yra slinkan
Att följa henne uti nöd och lust,
Dock henne förde han direkt till — finkan
Där ej det är så fasligt trefligt just.

Uti en cell så grymt man henne kastar,
Och hon blir ansedd blott som vanlig "trash";
Men hädanefter nog hon icke hastar
Att med poliskonstaplar "mäka mash".

SILLVISA

Den bästa af maträtter här jag besjunga nu vill,
Och namnet, som klingar så härligt och skönt, det är sill.
Så snart uppå matsedeln den varder funnen,
Begynner det genast att vattnas i munnen,
    Ty förträffligt man mår
      Hvarje gång som man får
        En bit sill.

På olika sätt kan den rätten man nog laga till,
Men huru man bråkar, så blir den ej annat än sill.
Om spicken och insvept i gräslöks-atrapper —
Om kokt uti panna, om stekt uti papper —
    Ja, trots hvarje metod
      Man dock genast förstod,
        Det var sill.

Jag namnet har funnit på norskarnes högfärdsbacill —
Ej frihetsbegäret det är — nej bevars, bara sill!
Ty den har dem världsrykte skaffat på jorden
Från öster till väster — från söder till norden — —
    Deras stolthet han är
      Och han är dem så kär
        Deras sill.

Visst älskar jag lamkött — isynnerhet kokadt i dill —
Men fem gånger hällre jag städse dock tager en sill.
Ja, om man ock bjöde mig äkta ansjovis
Vid sidan om sillen — jag vore ej oviss
    Om hvad jag skulle ta;
    Förty genast jag sa:
        Ge mig sill!

Man vaknar i bakrus en morgon och tanken står still,
Det dunkar i hufvudet — då är det godt med en sill.
Ty den kan ens stofthydda restaurera
I synnerhet jämte en sup eller flera — —
    Man blir hjärtvarm och öm
    Och man slösar beröm
        Uppå sill.

Och förrän jag slutar min lilla oskyldiga drill
Så säger jag endast ett varmt: Gud bevare vår sill!
Och tacksamhet varm i mitt sinne städs glöder
Och norskarne skall jag betrakta som bröder,
    D. v. s. om blott
    De i fullrågadt mått
        Ge oss sill.

OM JAG BARA TORDES

Jag skulle vilja blifva en "cowboy" yr och glad,
  Och rida på en eldig, yster häst;
Ut till den vilda västern jag droge raskt åstad
Och lefde där det lif mig syntes bäst.
Jag skulle jaga vargar och björnar i ett nu,
Och alla indianer, dem högg jag midt itu —
    Om jag bara tordes — men jag törs ej.

Jag skulle vilja resa till Afrika i dag
Och döda läjon, tigrar uti mängd.
De stora elefanter var viss, dem knäppte jag;
Ty i att skjuta är jag ganska slängd.
Jag skulle "göra kål" på så mången krokodil
Och slåss med svarta negrer, som skjuta blott med pil—
    Om jag bara tordes — men jag törs ej.

Pirat jag skulle blifva och segla böljan blå
Samt hissa på mitt skepp en kolsvart flagg.
Uppå kommandobryggan så stolt jag skulle stå,
Och den som mig ej lydde, finge "dagg".
De rika krämarskutor jag skulle plundra ut
Och blifva hafvets konung, så fruktansvärd till slut —
    Om jag bara tordes — men jag törs ej.

Och Sveriges-Norges statsskepp rätt kurs nog skulle få,
Om blott jag komme upp till högan nord.
Jag Björnson tog' i nacken, kung Oscar likaså,
Och vräkte dessa båda öfver bord.

Se'n blef af bägge landen en urstyf republik;
Jag blefve presidenţen så stolt, så ärorik —
     Om jag bara tordes — men jag törs ej.

Och, om jag bara tordes, jag far min skulle klå
För alla gånger, han mig gifvit stryk,
Och klå min stora broder — ja "teachern" likaså
Samt ropa se'n åt skolan: ränn och ryk!
Jag skulle slå de slynglar (allt med ett glädtigt sinn'),
Som gå och kurtisera och "slå" för syster min —
     Om jag bara tordes — men jag törs ej.

———————

UNGKARLSSKATTEN

Jo nu, go' vänner, är det rent besatt;
     Ett lagförslag framkommit från en jude
Och högt och tydligt olycksbudet ljude:
På hvarje ungkarl skall det sättas skatt!

Har han blott utaf år fyllt 32,
Men ännu ensam går omkring och pjunkar
Som en inbiten och förhärdad ungkar', —
Jag säger blott: gud nåde honom då!

Ty hvarje år med $25
Sitt grymma brott den stackarn får försona,
Från denna dom kan intet honom skona
Och det, för att mot flickor han är slem.

Men kan han visa svart på hvitt uppå,
Att han har lidit utaf hjärtesorgen
Och att han trenne gånger har "fått korgen",
Då obeskattad kan sin väg han gå.

För pängarne skall byggas ett palats,
Där hvarje "ungmö", som fyllt 38
Och varit kysk och dygdig utan måtta,
Till döddagar skall ha en fridsäll plats.

Jag kan ej nog här yppa uti skrift
Den sorg jag när för mina ungsdomsvänner;
Men för min egen del jag glad mig känner:
Gud vare tack och lof, att jag är gift!

LINDRIGT NOG

Det var för galet med min vän Svirrén —
Hans öde vill jag här för er besjunga.
Ej hörde han precis just till de unga;
Ty han var gamla karl'n för längese'n.

Han tjänte bra med pängar — det är sant —
Och skötte uppå bästa vis sin syssla;
Dock om hans välfärd syntes ifrigt pyssla
Så mången gammal, pratsjuk kaffetant.

Kanhända bör jag ock berätta, att
Han bodde i en liten småstadshåla,
Där det går lätt att "hin på väggen måla" —
Där skvallertungor dansa så besatt.

Han tog sig då och då ett stilla rus
Och lofsjöng Bacchus; lefnadsfrisk och glader;
Ja, understundom drog han ock en spader
Och det, hvad värre var, på gamblinghus!

H'varenda flicka var han galen i,
Och tur han hade hos de allra flästa;
Dock fick hos honom Hymen aldrig gästa —
Han drog sig för att "göra ett parti".

När så det rågadt var, hans synders mått,
Beslöto tanterna att honom straffa,
Nu skulle skörden nog de honom skaffa
För allt det myckna onda som han sått.

Hans straff blef hårdt. Med list och många knep
De lyckades den stackars karlen hänga;
Men repet, hvaruti han syntes slänga,
Var endast, gudskelof, ett kafferep.

MED ANLEDNING AF FÖRSTA SNÖN

Från gubben Bore ha vi re'n haft hinter
    Att när som hälst bereda oss på vinter;
Ty Nordan ryter genom asp och lönn,
Och nu i lördags föll "den första snön".

Det första har mig städse inträsserat
Och till den ändan har jag här noterat
Från minnets album några skilda fall,
Som jag, så godt jag kan, beskrifva skall.

Bland mina stöflar mins jag första paret,
Och jag var något katig, då jag bar'et,
Och första gång jag rökade "segar" —
Den dagen ur mitt minne aldrig far.

Den första visstump, då jag kunde gnola'n,
Jag mins så väl, samt äfven hur i skolan,
Allt under mycket skoj och litet plugg,
Jag fick af läraren min första lugg.

Jag mins min första dröm om hjältedater,
Och första gång jag var på en teater;
Men att jag utan lof mig smugit dit —
Det hör förstås egentligen ej hit.

Och när som jag bar "plugghatt" första gången —
Då var jag stoltare förvisst än mången.
Jag mins, när första gången käpp jag bar,
Och hur jag då fick smaka den af far.

Jag minnes, när jag skref min första visa,
Hur falska vänner hördes henne prisa;
Men redaktionen var den ej tillags;
Förty med ovett fick jag den tillbaks.

Jag mins det första ur jag fick af mamma,
Jag mins min första lilla skolpojksflamma,
Och lika säkert som jag heter Gus,
Mig smakte skönast hennes första — kyss.

DEN GIFTA KVINNANS TIO BUDORD

Si, tio nya bud försann
Har hustrun nu satt för sin man.

1.

Kom städs' ihåg, jag är din fru,
Och älska ingen annan nu!

2.

Hvar afton uti laga tid
Du hasta bör till hemmets frid.

3.

Ej röke du i vårt gemak
Och nyttje aldrig tuggtobak.

4.

Glad skall du äta af min mat
Och aldrig låta höra gnat.

5.

Min moder, som hos oss skall bo,
Du skänke lydnad, kärlek, tro.

6.

Så visst du är min äkta man,
Bör städs' du klä' mig fin och grann.

7.

Mig skall du utan klagan ge
Betalningsdagen all din "pay."

8.

Blif städse — om det än syns trist —
En ärlig prohibitionist!

9.

Märk noga: Ej du flirta bör,
Om ock din fru det stundom gör.

10.

Hvar natt, som "bäben" skriker vildt,
Du tyste honom lugnt och mildt.

* * *

Och dessa budord, säger jag,
Du lyda skall från dag till dag.

LOFSÅNG TILL GENERAL OYAMA

Just nu det lyster mig till att dikta en visa
För att en krigare, ja, en hjälte beprisa.
Men alla rimmen ur lyran månde jag krama,
När det blir frågan om att besjunga Oyama.

När jag var liten och gick i skolan i Kalmar
Och läste värs af den glade Ekeroth (Hjalmar),
Då hade ännu ej skvallerkäringen Fama
Begynt att sladdra om generalen Oyama.

För många år se'n vår Herre täcktes att skapa'n
I det romantiska, lilla öriket Japan.
Så egendomligt det syntes då sig berama
Att piltens far bar det fina namnet Oyama.

Han mycket ofog bedref med barnpigan Kusti;
Att leka krig var han mycket förtjust i.
Och man såg tydligen på hans later, de strama,
Att general skulle blifva lille Oyama.

Och på hans skolgång blef icke fadern besviken,
Han fick de bästa betyg i matematiken,
Så fick han läsa, förstås, Konfucius och Brahma,
Men militär ville bli den lille Oyama.

Och som student tog han inte mycket förtäring,
Men glad han var att få exercera beväring.
Ej blef han utskäld af korporaler, infama,
Ty volontär hade redan blifvit Oyama.

I Europa han syntes se'n sig hovera
Att skåda lifvet och litet mera studera,
Men vårt Amerika (Birmingham, Alabama,)
Lär äfvenledes ha haft besök af Oyama.

Se'n blef han knekt, och med hast i graderna steg han,
Men uti striderna var han alls icke feg, han.
För några år se'n han slog kineserna lama,
Ja, detta gjorde den lille, tjocke Oyama.

Och uti kriget emellan ryssar och jappar
Han städse visat att han ej hufvudet tappar.
Han är så "djup" som — som vår kanal i Panama (?)
I sina krigsplaner, generalen Oyama.

Hans stora tapperhet ju ett ordspråk har blifvit,
Och Kuropatkin ur Mandschuriet han drifvit.
De vilda ryssarne han gjort spaka och tama;
De ta till schappen, när de förspörja Oyama.

Men om hans förnamn kan jag ej någonting säga
Och obetydligt det skall i vågskålen väga
Måhända hjälten i detta krigiska drama
Man kunde kalla Carl Alfred Pett'son Oyama.

OCH DOCK ÄR HON MIG SÅ KÄR

Skönhet blef ej henne gifven,
    Hennes hy är full med fräknar
Och till jordens fula kvinnor
Henne först och främst man räknar.

Näsan rodnat uti spetsen,
Ögonen ä' små och röda,
Blekblå äro hennes kinder,
Aldrig sågos de väl glöda.

Håret — endast några testar,
Halsen liknande en tranas.
Hur gestalten sedan ter sig,
Utan tvifvel lätt kan anas.

Och ändå jag henne dyrkar
Såsom ynglingen sin flamma.
Till de ord förtjust jag lyssnar,
Som från hennes läppar stamma.

Och till hennes sista stunder
Hennes gunst jag vill förvärfva,
Ty — hon är min rika faster,
Som jag ensam skall få ärfva.

FISKE

På sommaren ju fisket plär
   Den bästa vara ibland sporter,
Hvar flod och sjö då uppfylld är
Med fisk af alla skilda sorter.
Själf aldrig jag haft spö i hand,
Har knappast sett hur fiskar stimma;
Men se! — det fiskas ock på land,
Och det är härom jag vill rimma.

En slug, politisk kandidat,
   Som ämnar i kampanjen "runna",
Han får minsann ej vara lat
Och knappast någon ro sig unna.
Hvar dag, ja hvarje kväll också
Beschäftig han kring staden knogar,
Och mången valfisk ses han få
På gator, gränder, torg och krogar.

Det händer kanske någon kväll,
   Då efter dagens strid du nalkas
Ditt eget lugna, lilla tjäll,
Att frun med dig behagar skalkas;
Hon kysser dig, hon smeker dig
Och ser förstulet mot alkoven — —
Dock, broder, varning tag af mig:
Hon fiskar efter mynt i håfven.

En fröken de la Hittlaha
På promenaden trippar näpet;

Den nya roben sitter bra,
Och smakfullt faller långa släpet —
Men att hon stadd på fiske är
Jag påstår, fast det är förmätet,
Dock får mamsellen, jag det svär,
Blott fula fiskar uti nätet.

Små dudar uti hörnen stå;
De "mäka mash" guds långa dagen,
Och med lorgnett i ögonvrå
Bese de kvinliga behagen.
Hvar fästman och hvar äkta man
Bör därför akta lilla skatten;
Ty mången dude det fins för sann,
Som fiskar uti andras vatten.

SVENSKA ADELSMÄN I AMERIKA

Om adelsståndet — ja, tänk det bara —
I gamla Sverige man skulle slopa
Och lyda folkviljan, som hörs ropa,
Att allt i världen skall jämlikt vara —
Nog skulle utvandra hit för sann
Så mången fullblodig adelsman.

Dock såge man dem ej på Atlanten
Till våra stater en resa göra,
Förrän de hunnit att gladt förstöra
Sin egendom intill sista slanten.

Men när Amerika sen de nått,
Nog blefve arbete deras lott.

Då ha vi snart nog bland oss Sprengtporten,
Stenhuggeri't ligger närmst tillhanda —
Och —för att tala i samma anda —
Får man se Stjerngranat här på orten.
För honom torde det bästa bli
Att göra smått i fyrvärkeri.

Herr Trolle skall då svartkonster göra
Och slaktare blifver Oxenstjerna.
Ja timmerman varder Bjelke gärna,
Som musikant skall man Horn få höra.
Bundtmakare eller advokat
Blir Rääf i Småland nog ackurat.

Som bryggardräng går då Gyllenankar
Bland fat och kaggar i hvalfvets gömma;
Om flydda tider kan Bonde drömma
Där uppå farmen han går och vankar,
Och sotarlärling uppå försök
I Minneapolis blir von Röök.

Herr Brååkenhjelm blir kassör i banken,
När Fägerschiöld eller kanske Piper
Som tidningsmånglare flickor kniper
Och kurtiserar af bara fanken.
Men Gripensköld för ett stormigt lif
I våra stater som detektiv.

Vid brandkårn ingår herr Mannerstråle;
Von Rohr får fiskarens födkrok taga.
Små "kaffehalfvor" skall Knorring laga
Uppå sin krog och mot kunder småle,
Och säkert blifver hans fine vän,
Den unge Wachtmeister, kyparsven.

Ja, då försöker nog herr von Rosen
Att få en god trädgårdsmästarsyssla.
Och då skall Natt och Dag gå och pyssla
Allt som polis och slå folk på nosen;
Och brefven punktligt nog delas ut
Af ett par herrar von Post till slut.

"JAG SÄGER TACK"

En filosof (fast i smått) jag känner,
Han hör för rästen till mina vänner,
Och vi ha närapå samma fack.
Han har ett ordspråk, kan jag berätta,
Och uti tryck vill jag nu det sätta:
      "Jag säger tack!"

Han detta upprepar nästan ständigt
Och tyckes finna det helt behändigt
I brist på annat och längre snack
Hvad honom händer på denna jorden,
Om godt, om ondt, han tillreds har orden:
      "Jag säger tack!"

Som ung — det kan jag nu relatera —
Kom han i gurgel med pojkar flera;
Det tog ej länge, förrn det sa smack.
De sporde: "Är du nu riktigt tyglad?" —
"Ja, jag har blifvit betydligt pryglad
        Och säger tack!"

En gång han friade till en flicka
Och sågs så hoppfullt på henne blicka
Och kär han suckade o! och ack!
Men med en "korg" hördes tösen svara,
Och friarn sade belåtet bara:
        "Jag säger tack!"

Med politik har han ock setts pyssla
För att sig få en förmånlig syssla,
Men denna skimrande bubbla sprack.
Han blef besegrad och fingret lade
Uppå sin nästipp och ko-lugnt sade:
        "Jag säger tack!"

Ja, ej det fins mera tacksam prisse —
Därom hans vänner nog äro visse;
Han tackar till och med för attack —
När slutligt döden skall honom hämta,
Är jag förvissad att han skall flämta:
        "Jag säger tack!"

DEN VIDTBERESTE

Han farit kring vida världen
　　Till lands och vatten kantänka
— Märk noga detta! —
Och hvad som han skådat på färden
I jordklotets olika länder
Vill jag berätta.

Egypten med dess pyramider
Han skådat och gyttjiga Nilen,
Som går där nedom,
Och blodiga hemska strider
Mot läjon i Afrikas öknar.
Han varit med om.

Till Upsala högar han dristat
Sig upp och tömt skummande mjödet
Ur fylda hornet.
Sitt namn han tillfullo har ristat
I allra högsta etaget
Af Eiffeltornet.

Han käjsaren sett utaf Kina
Och Hong Kongs små trefliga damer
Siratligt strutta.
Han Indiens bärstolar fina
Har pröfvat med palmer i händer
Uti Kalkutta.

Med solljus han tändt cigarren
På isberg bland krithvita björnar
Vid norra polen,
Och toner han hört från guitarren
I Spaniens tjusande dalar
När ned gick solen.

Han hört mången sprittande visa
På Alpernas skyhöga spetsar
Och i dess dalar.
Det lutande tornet i Pisa
Han skådat och Vatikanen
Med sina salar.

* * *

Nu har det sig svårt till att finna,
Hvad utaf allt detta är sanning,
Och hvad är diktning;
Dock aldrig han skådat en kvinna,
Som nedstigit från en spårvagn
Uti rätt riktning!

"OM DU DRÖJER"

I aktern uppå Sahlboms slup
En inskription — så täljer sägen —
Det fans, och när på mörkblå djup
Den lilla slupen lätt fann vägen,
Man detta motto tydligt såg,
Som sann resignation nog röjer
De legat städse i min håg,
De trenne orden: "om du dröjer!"

Vi lefva i en ruskig tid,
Då banker öfverallt ses ramla,
Och pank blir den, som under id
En liten styfver lyckats samla.
Dock, sätt din lit till vår kongress,
Att denna silfrets värde höjer
Och skänker oss med känd finess
Nog gyllne tider — om du dröjer!

Nu hvarje svensk, som blott har "cheek",
Och vet sig häfva öfver andra,
Skall inom kort så framgångsrik
Kavat ibland oss småfolk vandra.
Hvar svensk och driftig Bacchipräst
Vid detta ljufva hopp sig nöjer
Att såsom Robert få härnäst
En vasatrissa — om du dröjer!

En genomgripande reform
Skall grundligt rensa politiken;

Ty rätt och sanning nu med storm
Ska' väldet ta' i alla riken.
Ej mera för den gyllne kalf
Sig mänskan uti stoftet böjer,
Men jublar högt mot himlens hvalf
Blott frihetssånger — om du dröjer.

Och "frid i himla och på jord"
Numera blifver dagens lösen.
Ja, till och med i högan nord
Skall brödrahatet säkert dö se'n.
Som republik blir Norge kändt
Och Björnson — stor i "norske öjer" —
Blir vald till lifstidspresident,
Ja, d. v. s. — om du dröjer.

GIFTASLYSTEN

J ag mötte härom da'n en rar
    Och fager liten fru;
Hon se'n en månad änka var,
    Men re'n hon glömt det nu.

Af sorg hon bar ej många spår
    I dräkten elegant.
För ljust var färgadt hennes hår,
    Men föreföll pikant.

"Ursäkta mig — hur många män
"Har ni väl haft, fru X.?" —
"Hur många?" utbrast hon igen,
"Låt se, jo, det är sex." —

"Hur är det möjligt?" sporde jag. —
"Ack, det förstår ni lätt,
Från fyra fick jag enligt lag
Skilsmässa rätt och slätt."

Hvad se'n hon pladdrade så brådt
Mig gjorde nästan stum:
"Den förste och den siste fått
På kyrkogården rum.

"Den förste var så snäll och rar,
Den andre var så klok,
Men fast den tredje bättre var,
Det ändå gick på tok.

"Den fjärde hade gods och guld,
Var obeskrifligt rik;
Den femte var så öm och huld,
En värklig ängel lik.

"Den sjätte hvilar i sin graf —
Men jag har kvar ännu
De skatter mig den fjärde gaf —
Vill ni bli No. 7?"

VÅREN ÄR KOMMEN

samt äfven den traditionella "huskliningen"

"Våren är kommen" — husmodern ansar
    Flitigt sitt hem efter vintern, så lång.
Dammet i moln uti våningen dansar,
    Kvastarne göra sin rastlösa gång.
        Mattornas nubbar
        Hastigt man rubbar.
        Möblerna skuffas,   ..
        Lyftas och knuffas.
Strängt kommenderande husmodern står,
    Allting i huset står huller om buller —
        Nu är det vår.

Mattor på gården kraftigt man piskar,
    Dammet, det når emot himmelens sky,
Uppå pianot trafvar man diskar,
    Stovepipor lutas mot salsskänken ny.
        Småsaker hopas,
        Väggarne sopas,
        Golfvena gnidas,
        Skurtrasor vridas,
Träget och lustigt arbetet går.
    Allting i huset står huller om buller —
        Nu är det vår.

Ned ifrån väggarne taflorna tagas,
    Läggas försiktigt i hög i en vrå,
Sängarne fäjas, skrufvas och lagas,
    Fönster och dörrar rengöring få.

Soffor och stolar
Skina som solar,
Gaskupor tvättas,
Torkas och glättas;
Uppå en trappstege taket man når.
Allting i huset står huller om buller —
Nu är det vår.

Sängkläder vädras lätt på verandan,
Finaste stolarne där ock man ser,
Där synes hjälpgumman ock hämta andan;
Uttröttad är hon, men ändå hon ler.
Grytor och pannor,
Glaskärl och kannor,
Burkar och bålar,
Vaser och skålar —
Allt letas fram ur dess gömmor och vrår.
Allting i huset står huller om buller —
Nu är det vår.

Mannen i huset suckar och kvider,
Han, som vid maklighet städse var van.
Ofta af hunger den stackaren lider,
"Kallskuret" äter han tre mål om da'n.
Bråket han hatar,
Gnäller och gnatar,
Säger, att lifvet
Dystert är blifvet,
Och efter trefnaden innerligt trår.
Allting i huset står huller om buller —
Nu är det vår.

MÅNGA FLAMMOR

Profryttaren, så ung och skön,
  Uppå sin sjuksäng låg,
Och nu till hvila skulle gå
Hans ystra lefnadsvåg. —
Säg oss," man sporde honom då,
"Om ni en fästmö har,
Som nu ni säga vill farväl,"
Och matt han gaf till svar:

"Jo, Daisy uti Burlington
Och Amelie i Blair
Och Nellie uti Lincoln Town.
Och Mary i St. Clair,
Uti Des Moines min Esther fins
(Jag for så ofta dit)
Och Annie uti Waterloo — —
Ack, för dem alla hit!"

 Bestörtning stor grep alla då;
De frågade igen:
"Men hvem är hon, ert hjärtas mö?
Säg oss nu sanningen,
Den flicka, ni er kärlek skänkt,
Som skall er maka bli,
Hvars bild ni i ert hjärta bär,
Hvem är hon, fråga vi."

Han svarade: "Louise i Boone
Och Mamie i Canoe
Och Violet i Winterset

Och Maud i Old St. Joe.
Och bäst det kanske är just nu
Att jag blir dödens kap,
Ty allihop och fler ändå
Jag lofvat äktenskap."

DET KÄRA BESÖKET

Af mrs Gran en vacker dag
  Besök fick mrs Rose.
De pussades med ljuft behag,
  Det var så rart, förstås.
'Jag har så brådt," sa' mrs Gran,
  "Jag kan ej stanna alls;
Jag varit öfver hela sta'n —
Hvad tror du väl, hva'falls?"

Och se'n om böcker talte de,
  Om klubbar och musik,
Om pigornas förargelse,
  Om småttingarnes skrik,
Om soppor, stekar och kalops,
  Om klädningar och prål,
Om mrs Johnson fula mops
  Som ingen mänska tål.

Om rynkor, fräknar äfvenså,
  Om äktenskapligt split

Samt äfven om skandaler små
  Det taltes hit och dit;
Om moderna, de nyaste,
  Om männens kolifej — —
Men hvem som var den kryaste
  Att prata, vet jag ej.

De talte i förtrogen ton
  Om folk, som var i skuld,
Om hur en välkänd kvinsperson
  Var svag för bjäfs och guld.
De nya möbler talte om,
  Tapeter, mattor ock,
Men se'n på tal nog mången kom
  Ibland väninnors flock.

Hvad "den" i ilska hade gjort,
  Hvad "den" i dumhet sagt —
Allt blef nu tydligen förspordt
  Och uti dagen lagdt.
Men plötsligen skrek mrs Gran:
  "Jag har så fasligt brådt,
Och förr'n jag anat hela da'n
  Ju nästan har förgått!

"En sak som jag ej tål, försann,
  Då man på bjudning går,
Är att man måste klä' sig grann
  Och knappast tala får.
Kom in till mig, så snart du kan,
  Så få vi språkas vid
Så här förtroligt med hvarann,
  När vi ha godt om tid."

EN LITEN MATVISA

När fråga blir om dukadt bord,
  Ses smak och tycke variera.
Den saken jag med några ord
  Här nedan nu vill illustrera.

En älskar lammkött kokt med dill,
  En är förtjust i bruna bönor,
En vill beständigt äta sill,
  En annan, lax, kalkon och hönor.

En uti klafstek har sin fröjd,
  Då fläskbiten en annan gläder,
En blott med biffstek är förnöjd —
  Ja, vore den ock seg som läder

Fläsk och potatis älskar en,
  Då hare smakar bäst en annan;
En gnager hälst på fågelben,
  En älskar doppa uti pannan.

Jag hundra värser allra minst
  Om detta ämne kunde skrifva,
Men dock er literära vinst
  Helt obetydlig skulle blifva.

Själf ingen rätt jag föredrar,
  Sak samma, hvad som fins på faten,
Ty allt s'en barndomen jag har
  En riktigt glupsk aptit för maten.

TILL MITT KONTERFEJ

När först jag skådade denna bild
  Jag upphof en väldig suck
Och sporde sedan med röst så mild:
Skall detta väl vara Guck?

Och kisar jag så med mitt ögonpar,
Och slår sig näsan i knorr,
Och om mitt anlet' en prägel har
Så jämmerlig, karg och torr.

Och om så klumpigt jag pännan för,
Och om så trubbig hon är,
Som bilden visar här ofvanför,
Och slik en snugga jag bär —

Så vore det bättre, det tror jag visst,
Och allmänheten med mäj,
Att Higgins, vår giftige stabsartist,
Ej tecknat mitt konterfäj.

DEN MISSFÖRSTÅDDE POETEN

Han var väl en skaldeyngling
  Och diktade dagen lång
Om ljufvelig kärlekslycka,
  Om blommor och fågelsång.

Men när han trodde att världen
  Han gjort så uppbygd och klok,
Han samlade sina kväden
  Och utgaf dem i en bok.

Den boken förvisso las han
  För kreti och pleti då,
Men ingen människa fann han
  Som orkade höra på.

Hans gamle fader från hjässan
  Ref bort sina sista strån
Och sade: "Jag gör dig arflös,
  Ditt sakramenskade fån!"

När modern värserna hörde,
  Så brast hon snyftande ut:
Oj, oj, att du skulle blifva
  En tocken tosing till slut!"

Då läste han för sin fästmö
  Om kärlekens fröjd och sorg —
Hon somnade in så stilla
  Och gaf honom se'n en — korg.

Men när som vår skaldeyngling
Förnam att allt var på tok,
Han vandrade ut i skogen
Och hänge sig i en — bok.

DET VORE INGEN DUM IDÉ

Om uti detta landet
Det vore mera ro,
Och icke så erbarmligt
Hvar män'ska syntes gno
Och som en galning sig bete — —
Det vore ingen dum idé.

Om alla våra skalder
Fick hvar sin nätt maskin,
Som kunde göra värser
I yardvis, värs så fin,
Precis som broder Jakob B. —
Det vore ingen dum idé.

Om tösen kunde fria,
När hälst hon infall får,
Och icke, som det nu är,
Blott hvarje fjärde år,
Fick släktet stor förökelse — —
Det vore ingen dum idé.

Om Onkel Sam blott ville
  Ta sina pängar fram
Och se'n dem jämt fördela
  Bland oss — hvad fröjd och glam!
Då kunde han oss glada se —
Det vore ingen dum idé.

Om människan förståndigt
  Blott ville vara nöjd,
Och som så sällan händer
  Se lifvet an med fröjd,
Ej hänga läpp men oftast le — —
Det vore ingen dum idé.

Om våra landsmän alla,
  Som läsa dessa ord,
Nu ägnade en tanke
  Åt nöden i vår Nord
Och ville raskt sin pänning ge —
Det vore ingen dum idé.

Om den som skrifver detta
  Ej smidde flera rim,
Nog skulle mången hudik
  Bli tacksam då till him.
Ja, tänk om detta skulle ske —
Det vore ingen dum idé.

DE FULA FLICKORNA

Jag ej beundrar de tärnor små
  Med purpurläppar och rosenkind,
Med fagra ögon, som tjusa må.
Och lockar fladdrande skönt för vind.
Hur egendomligt det synas kan
Jag har för skönheter ej behag,
Men öppet säger jag som en man:
De fula flickorna hyllar jag.

En näsa, formad så fin och nätt,
Som hade Fidias mäjslat den
Uppå sitt välkända mästarsätt,
Har ej mig mäktat förtrolla än.
Norrköpingstypen jag tycker om
Samt äfven andra af snarlikt slag,
Och detta är ju detsamma som:
De fula flickorna hyllar jag.

Och äro ögonen mycket små,
Jag öfverseende har därmed,
Om äfven kattlika eller grå,
Om ock placerade smått på sned.
Om stor är foten, på säkert vis
Den uppbär kroppen för hvarje dag. —
Må andra skönheten ge sitt pris;
De fula flickorna hyllar jag.

Den fula flickan förvisst sig står,
Och oföränderlig är nog den;

Men jordisk fägring så lätt förgår,
Och grymt besviken man blifver se'n.
Den fula flickan är gladlynt ock —
Det skänker solljus åt hennes drag.
Farväl med skönheters stolta flock —
De fula flickorna hyllar jag.

REFORM

D et hände sig som så en gång,
    Jag fick en god idé:
Jag skulle flickor, vin och sång
    Bestämdt på båten ge
Och dra mig undan i en vrå
    Från nöjens ystra storm,
Ett dygdemönster bli som få
    Tack vare min reform.

Beslut och handling äro ett
    Hos mannen ock ibland,
Fast kvinnan man det vitsord gett
    I allra första hand. —
Nog af: nu skulle bättring bli,
    Det fans ej annat val,
Och laddad var jag, kära ni,
    Af baraste moral.

Med glada bröder förr jag sjöng
    Och städs' vid bägarn satt,
Jag spelte "priffe" och "vängtöng"
    Samt "knack" så mången natt;

Men nu, som om jag munlås fått,
 Den tystnade, min sång
Jag vatten drack och spelte blott —
 På orgel någon gång.

De fagra tärnor lekte förr
 Beständigt i min håg.
Nu slog jag till mitt hjärtas dörr
 Och dem på afstånd såg.
Men om de frestade i bland
 Med sitt koketteri,
På känslorna jag lade band
 Samt gick dem stolt förbi.

Förr städs' så tanklöst var mitt sinn'
 Och jag beständigt pank;
Nu sattes hvarje dollar in
 Försiktigt i en bank. — —
Men så en dag det hände, att
 Kassören tog ett skutt
Till Canada — farväl min skatt!
 Ty banken gick bankrutt

Nu är jag åter, hvad jag var,
 En gammal glad garcon,
Och gladt förflyta mina dar
 Bland flickor, vin och sång.
Förlusten var ej just så stor;
 Men vinsten var enorm;
Ty aldrig mera, som jag tror,
 Jag tänker på reform.

HYPNOTISMEN

I tidningarna läsas hvarje dag
En faslig mängd af hypnotismens under,
Och det citeras månget särskildt drag,
Som stödjes på de allra bästa grunder.
Stor är i sanning hypnotismens makt,
Om allt är sannt, som man om den har sagt.

Om du utaf naturen blifvit dum,
Och om din hjärna blifvit mycket liten,
Så kan herr doktorn, om du blott är stum
Och om på bästa sätt han nyttjar fliten,
I hast förvandla dig till ett geni,
Tack vare hypnotismens trolleri.

Den som till äfventyrs har allt för svårt
Att skilja mellan mitt och ditt, kantänka,
Skall, om blott hypnotismen brukas hårdt,
Snart som ett ljus på dygdens bana blänka,
Och den som lider af kleptomani
Blir medelst hypnotismen plågan fri.

En som har supit alla sina dar,
Allt se'n det året som han "gick och läste,"
En, hvilkens näsa skiner röd och klar,
I hvilkens blod städs' drufvosaften jäste,
Kan bli hypnotiserad i ett nu
Samt äfven nykter såsom — jag och du.

Jag känner endast ett slags hypnotism
Och vet af endast tre hypnotisörer.

Fast skilda genom ett slags enkel skism,
Till samma mål dock hvar och en mig förer.
Förundransvärdt det är, min bror, att se,
Hvad kraft som de besitta, dessa tre.

Först är det Bacchus, gyllne drufvans gud,
Som vallmokransad bägaren mig räcker;
Så är det hon, som en gång blir min brud,
Som längtansfullt sin famn emot mig sträcker.
Sist är det sången med sin magnetism —
Och detta kallar jag min hypnotism.

REDAKTIONSSAXEN

Hvarenda landsortsredaktör
— Den saken jag betona bör
Och gör det dagligdags —
Har aldrig någon bättre vän,
Som hulpit honom mera än
Och varit trognare än den
Som kallas för hans sax.

Herr murfveln i sin hälgedom,
Han sitter där med hjärnan tom,
En föga lifvad lax.
Att skrifva vill ej gå rätt bra,
Men manuskript vill sättarn ha,
Då är naturligast att ta
Sin egen lilla sax.

Om denna tingest icke fanns,
Det ginge ej som nu med glans
  Att redigera strax.
Men mången det nog ofta fann,
Att undervärk man göra kan,
Om blott man sköter som en man
  Sin gamla goda sax.

Att pännan mäktig är, man hör,
Dock hon ibland blott föga gör
  Att tidningen får "flax",
Ty skrifver man ej som man bort,
Så lönar det sig icke stort;
Då har man vida bättre gjort,
  Om rätt man skött sin sax.

Och därför jag som föremål
Tar saxen för en stilla skål —
  En bättre skål ej dracks.
Och hvarje murfvel hurra bör,
— Det är ej mera än sig bör —
För denne gode redaktör,
  Som kallas Mr. Sax.

NÄR KARL JOHAN BLEF MORMON

En välskapad yngling, hvars namn var Karl Johan,
  Han kunde ej få någon rast eller ro, han;
Ty han lefde städs' i den halfgalna tron,
Att det vore bäst till att blifva mormon.

Då gaf han helt hastigt Chicago på båten;
Men fästmön hans, Klara, var mindre belåten;
Hon tyckte det stred mot båd' rim och reson,
Att fästmannen nu skulle blifva mormon.

Så reste Karl Johan, som sagdt var, till Utah
Och syntes till helgonens samfund sig sluta.
Han hade nu uppnått den härligt zon,
Där lyckan ses vinka mot hvarje mormon.

Och hustrur det fick han — jag tror det var 4 —
Men att han slet ondt, ja, det vill jag bedyra;
Ty de foro fram som en hel bataljon
Mot stackars Karl Johan, som blifvit mormon.

Ty städs' var han klöst omkring "ögondebrynen"
Och jämt bar han märken af naglar i synen,
Ja, håret blef kort, liksom raggen på son;
Det fick han, den stollen, för han blef mormon.

Till sist dock en afton, just när som det skymde,
Från Utah Karl Johan helt visligen rymde.
Han kände sig lycklig, liksom en patron,
När han blifvit fri från hvarenda mormon.

Tillbaka han kom till sin trofasta Klara,
Och nu är han nöjd med en endaste bara;
Men blefve han bjuden en hel million,
Så ville han aldrig på nytt bli mormon.

LUNDSTRÖMSKUPLETTER

Ja, nu har jag traskat helt vida omkring
Och sett och bekikat så konstiga ting,
Som jag vill besjunga allt uti en sång,
Då solo jag står här i skräddarns salong

Förr'n Sverige jag lämnat, mitt afsked jag tog,
Af Oscar den andre, som huldt mot mig log.
Han sa' till mej: Lundström, nog reder du dej,
Du har ju i pluntan — singdudelandej.

I Norge jag stötte med baggar ihop
Och aquavit drack jag ur muggar och stop.
Med Björnson jag vrövlade smått politik
Och hörde hans utkast till norsk republik.

Se'n for jag till Danmark, och i Köpenhamn,
Där tog jag de smukkeste piger i famn,
Och alla så voro de galna i mej,
Fast jag bara ville — singdudelandej.

I Tyskland jag vräkte mig styft — jo, jo men!
Och hälsa' på "Bisse", min urgamle vän.

Han fått utaf lagrar, minsann, mer än nog
Men jag tog min lager på närmaste krog.

Bland fransmännen fann jag det "lissamt" och trist,
Ty misstänkt jag blef för en arg anarkist.
Men ingen grisett på det ringaste vis
Mig kunde förföra allt uti Paris.

Italiens vin satt min näsa i blom
Och tofflor jag gjorde åt påfven i Rom.
Men kyssa hans stortå — jag aktade mej
Ty hällre jag kysser — singdudelandej.

I Ryssland, där slog jag på allvar mig lös.
Men där var så kallt, så att bränvinet frös.
På slottet i Petersburg bjuden jag var
Och drack litet skältran med ryssarnes zar.

Bland turkarne iklädd jag var i turban
Och klådde evnucker af baraste — — —
Från harem, gu'nås, blef jag utstängd af dem,
Och jag som skomakare älskar ha — rem.

En påhälsning gjorde jag ock hos John Bull,
Som satt där och räkna' sitt krämaregull.
Med gumman Victoria tog jag en grogg
Af oblandadt bränvin — och skälldes för hog!

Se'n for jag min väg till Amerikas land
Och hälsades välkommen uppå dess strand.
Jag svarade blott med ett ljudeligt hell!
Men tullad, det blef han, min lilla "putell".

Jag expositionen bekikade ock
Samt tömde på "Fyllan" mång' styf bottenfock.
Där var det ett lif och en sabla rullians —
Isynnerhet så uppå "Midwife" Plaisance.

Men huru jag svirade om, blef jag pank
Och ramlade gjorde hvarendaste bank.
Tillbaka till Sverige jag skyndade mej
Att sjunga för er om sin dudelandej.

"MÄNSKAN ÄR ETT KREATUR"

(Gammal melodi.)

"Det alltid har tyckts mig, som människan har
    En märkvärdig likhet med" — djur.
Om nu till exempel en ursnobb jag tar,
Har han ej ett lejons natur?
Så stolt promonerar han gatorna kring
Och anser sig bäst utaf skapelsens ting —
    Jo jo men san!

Se blott advokaten, så viktig och stram,
Som tror, han är hemma i lag,
Säg, liknar han icke en rofgirig gam,
Som städs efter offer gör slag? —
Aktörer, aktriser — hvad äro väl de,
Om icke af apan en afbild att se?
    Jo jo men san!

Om feg du dig visar i ringaste grad
Nog kallas för hare du strax;
Men om du är småtreflig, munter och glad
Nog blir du den gladaste lax!
Om du ibland skuldernas klippor tar törn
Du möter i mänsklig gestalt mången björn.
Jo jo men san!

En enfaldig tärna, som fångas, gudnås!
I dristige ynglingens garn,
Nog liknar väl hon tvifvelutan en gås —
På världshafvets bölja ett flarn.
Och han, som gudsnådlig i kyrkan städs' går,
Visst påminner han om ett sannskyldigt får.
Jo jo men san!

Och pastorn, som dväljs uti fårenas flock,
Än lismande ödmjuk — än sträf,
Fast klorna han döljer, så märker man dock,
Att han är en lurande räf.
Ty nog har det händt, att hvar han smugit fram,
Han knipit små täcka och kvinliga lam.
Jo jo men san!

En flicka, som säljer hvar afton sitt "jag",
En nattfjäril är väl förvisst,
Och tanten, som lämnat re'n ungdomens dag,
Blir drake, bevars, först och sist.
Hvar svärmor i mågarnes ögon ju är
En markatta — därpå jag heligt nu svär.
Jo jo men san!

EN LITEN VISA OM "CHEEK"

Vill du här i landet i hast blifva mäktig och rik,
Så gå ej försagd, utan skräna, skrodera och skrik
Och anlägg de fräckaste, tvärsäkra later,
Ty sådant går långt här uti våra stater —
Ge din nästa en knuff
Och slå kring dig med "bluff"
Och med "checck."

Din tunga beständigt bör hafva sin frigymnastik,
Och dessutom måste du vara så slängd i mimik,
Här gäller det bara att raskt taga för sig.
Sak samma, om icke det alltid så bör sig — —
Hvad du lämnar, minsann,
Tar förvisso en ann'
Med sin "cheek."

Med "cheek" skall du framgång få röna uti politik,
Och om det sig vill, kan en dag dr. Ames du bli lik.
Men håller du tal, så tag till tokerier
Och sök att stå inne med alla partier!
Då kan målet du nå,
Det så ledigt skall gå
Med din "cheek."

Men får du ibland bära upp mången gliring och pik,
Därför att ditt prat är i saknad af allt slags logik
Så skratta åt den, som dig anmärkning ägnar
Och låtsas precis, käre bror, som det rägnar — —
Det är afunden blott.
Som mot dig skjuter skott
För din "cheek."

Och när du en dag hafver genomgått dödens panik,
Så skall Sankte Per emot dig kanske argt ropa "Vik!"
Då pratar du gubben konfys med ditt drafvel.
Och dörren han öppnar på vidaste gafvel:
"Var så god och stig in
Och er hemmastadd finn.
Mister Cheek!"

"THERE ARE OTHERS"

Ett ordspråk — som nu gör sin rund med all lust
Från norr och till söder, från kust och till kust
Uti våra stater — jag antecknat här;
Ty säkert det ganska betecknande är:
"There are others."

Det skänker oss lisa och skänker oss tröst,
Och bondångern döfvas uti våra bröst,
När stundom vi vandrat en smula på sned,
Ty gladeligt kunna vi trösta oss med:
"There are others."

Du dröjt uppå krogen för länge en kväll
Och kanske du blifvit för glad och för säll.
Den sista af spårvagnar "kätchar" du ej;
Men ensam du är ej om slik kolifej:
"There are others."

Du drar dig en spader, en liten helt visst,
Du vinner i början men tappar till sist;
Men klaga ej, broder, i fall du blir pank,
Och därför din gumma dig hotar med "bank":
         "There are others."

Du bryter mot buden — så är ju vår sed —
Det sjätte och sjunde och åttonde med,
Men gå icke därför och häng dig ändock!
Den störste du är ej i syndarnes flock:
         "There are others."

Du "runnar", kantänka, att få dig i en "job",
Och flitigt trakterar den törstande "mob";
Men valdagen kommer — och stukad du är — —
Blif då icke "lissen", men säg blott så här:
         "There are others."

Du kanske har skulder en hop — hvad vet jag? —
Och ansatt du blifver från dag och till dag. —
Låt björnarne dansa så ilsket i ring!
Du är ej den ende de dansa omkring:
         "There are others."

Sist, när du har lämnat vår syndiga jord,
Och Karon dig tager på färjan ombord,
Men icke i himla du inslippa får —
Var viss, du ej ensam till helsicke går:
         "There are others."

DET GER SIG

En yngling (exempelvis) älskar en mö
    Och vill hennes bana med blommor beströ;
Men när han är gift, komma bråk och bestyr.
Och stundom det händer, att hemmet han skyr,
        Då kärleken ger sej.

Här fins mången "jingo", som prata så stort
Om krig, fastän pratet är baraste lort;
Men släpp honom bara mot fienden ut,
Då skall man få se, han blir mör i sin trut,
        Och modet, det ger sej.

En herre ses jobba uti politik,
Han är kandidat och på löften så rik;
Han lyckas bli vald till en syssla så fin,
Och följande dag ger han vännerna hin;
        Ty skrytet det ger sej.

Du skådar en änka, som sörjande står
Och skriar så hemskt vid den älskades bår;
Men sex månar senare kanske en ann
Hon funnit, som ger henne lisa försann;
        Ty sorgen nog ger sej.

Att fara till Klondike, bli rik som en kung,
Är syftet för mången, båd' gammal och ung;
Men ofta man möts där af guldbrist och frost,
Och tarfligt det är med logis och med kost,
        Och guldfebern ger sej.

Nog Björnstjerne Björnson om norsk republik
Hörs tid efter annan upphäfva sitt skrik.
Men baggen stött hornen mot vänskapens grund,
Emot brödrakärlekens fasta förbund —
        Och "vrövlet" det ger sej.

Till sist vill jag nämna en stackars poet,
Som rimmar om allting, han möjligtvis vet;
Men när han så rimmat en massa af år,
Så träffas pegasen af kvarka så svår —
        Och kraken, han ger sej

GARDISTEN I AMERIKA

(Mel.: "Soldaten han älskar sin kung och sitt land.")

Jag tillhör en kungliger stads garnison,
    Där muntert och lustigt man har de'.
Jag fick uti nåder en lång permisson.
Och af till Amerika bar de'.
Jag släktingar har lite' här, lite' där,
Och jag vill dem visa, jag är milangtär
    Vid hans majestäts Svea Garde.

Vår utmärkta hållning, vårt präktiga skick
Att visa vi aldrig ju sparde.
Vi tärnor bestorma med glödande blick,
Och eld uti hjärtgropen tar de'.
Men lågan vi nära på sätt, som sig bör,
Sen äter man gratis, därför att man hör
    Till hans majestäts Svea Garde.

Ja, aldrig jag glömmer min första kurtis;
Förty det var trefliga dar de'.
Med Lisa vid armen på krigsmannavis;
Det var just ett ståteligt par de. — —
För min skull i tysthet mång flicksnärta brann
Och suckade: "gud, hvad den karlen är grann
        Vid hans majestäts Svea Garde."

När prinsarne förde gemålerna hem,
Så fästligt och storståtligt var de',
Och hurra vi lärt med en hiskliger kläm
Af löjtnanten — de' är en kar de' —
Men hvar gång det kommer till världen en prins,
Så födes han öfverste, om rätt jag mins,
        Vid hans majestäts Svea Garde.

Och fins här en yngling, som re'n hänger läpp
Åt landet (ty mången bedrar de),
Följ med ett af linjernas präktiga skepp;
Till Sverige hvar vecka så far'de.
Den vanliga dräkten mot krigsmannens byt.
Se glad ut, tag värfning och blif en rekryt
        Vid hans majestäts Svea Garde!

"YOU BET YOUR LIFE"

Nu få vi fröjdas åt soligt gass
    Men ock åt svalkande vindar
Och lilla fogeln tar "höga ass"
I ekar, aspar och lindar,
Där som han reder sitt bo med dun i
Så här i förstone utaf juni —
            Jubettjurlajf!

I all naturen är muntert lif —
Där råder glädje och gamman,
Och ungersvennen tar äkta vif —
De måste para sig samman.
Ej ha de ögon för lifvets härlek,
Ack nej, de lefva af bara kärlek —
            Jubettjurlajf!

Och alla flickor se nytra ut
Och deras ögon, de tindra.
Att fånga hjärtan i mängd till slut
Platt ingenting kan dem hindra.
Men dessa snutfagra sommarflickor,
De göra länsning i våra fickor,
            Jubettjurlajf!

Nog trifdes Noak uti sin ark —
Det är åtminstone troligt —
Men på lagunen i Lincoln Park
Man har nog långt mera roligt.
Där fins en båt som man fram kan — trampa,
Precis som trupperna ned vid Tampa,
            Jubettjurlajf!

Snart kan du gå utan rock, jag tror,
Och· du kan öppna på västen,
Nu kommer tiden för låga skor
Och luftig halmhatt för rästen;
Men var försiktig, ty den malicen
Kan hända dig, att du 'rushar season",
   Jubettjurlajf!

Och Flora blifvit lahitt-laha,
Hon gör sig prydlig och fin igen,
Och svenskar nu emot Norden dra
Med denna eller den linien,
Och den, som hopdiktat dessa rader
Får ej gå med, men är ändå glader,
   Jubettjurlajf!

GRÖTRIM

Den som ej äter af vår rara gröt
Har städse varit, är och blir ett nöt.

*

Gröten är kokt i en gryta
Om ni det veta vill.
Gud låte den icke tryta
Men ymnigt räcka till!

*

Den som nu mandeln finner,
Han först blir gift förutan prut —
Såvida han dock icke
Är redan gift förut.

Gröten uppå bordet skönt käns dofta
Men hon som har kokt den — hon är
                    klädd i kofta.

*

Den som icke fisken
Uti supar har lagt blöt,
Han bör ock stå risken
Att få sitta utan gröt.

*

För vidbränd julegröt
Hvar kokerska sig värje!
Må den bli god och söt
Just som den var i Sverige!

*

Var så god och icke skramla,
Bråka eller stimma,
När jag tankarne vill samla
Att på denna rara gröten efter bästa
    förmåga med särdeles stor an-
    strängning, så godt sig göra lå-
    ter, för er mitt herrskap—rimma!

BLANDADE DIKTER

"SO NEAR — AND YET SO FAR"

Min vän var en gammal beskedlig tok,
Som pröfvats af ödets lek.
I ungdomen hängde han öfver sin bok,
Blef tråkig och tunn och blek:
Han fått i sitt sinne att blifva präst,
Ty det tyckte farsgubben hans var bäst;
Dock, med sin examen han blef ej klar —
So near — and yet so far!

Teatern förförisk i hågen låg,
Väl bättre bana ej fanns;
I andanom han sig beprisad såg
Och prydd utaf lagerns krans.
Nu rollerna han instuderade,
Och flitigt han städs repeterade;
Men spelet allt annat än lyckadt var —
So near — and yet so far!

Hans nästa idé var att bli grossör,
Han gjorde som mången ann':
Tog Gud i hågen och friskt humör
Och blef en siffrornas man.
Raskt vinsten han multiplicerade,
Men vännerna — de subtraherade!
Han glömde den gyllene regeln: "Spar!" —
So near — and yet so far!

Han tänkte: "För Sverige jag är för god;"
Ty drog han mot fjärran land.
Med ypperligt lynne och hurtigt mod
Han nådde den fria strand.
Men som han dock kom till Chicago pank,
Han tänkte på Haugan & Lindgrens bank;
Men hvilken som hälst ej pängar där drar, —
So near — and yet so far!

Så drog han helt lugnt emot västern ut
Med hoppet uti sin barm;
Han tänkte att slå sig i ro till slut
Och "farmade" på en farm.
Sin lycka han funnit ändå till sist;
Snart skulle han komma uppå grön kvist!
Men "farmeriet" åt "skogen" bar —
So near — and yet so far!

Se'n fikonlöfvet från Adam togs,
Behöfver man kläder ju.
Ett skräddareämbete föreslogs,
Som nog florerar ännu.
Af innerlig längtan vår hjälte brann
Att blifva en mästerlig ämbetsman;
Men städse i växten den token skar. —
So near — and yet so far!

Från prässjärn och nål han till "prässen" gick
(Men saxen fick följa med):
I eftertruppen en plats han fick
Bland tidningsmänniskors led.

Och om han där funnit sin rätta stråt,
Så borde han väl gå den raskt framåt;
Men städse han har uti minnet kvar:
So near — and yet so far!

En gång — ja, det hade jag nästan glömt —
En gång blef han rysligt kär,
Och lågan besvarades blygt och ömt,
Som fallet ju ofta är;
Men fastän de båda så svärmade,
Fast hans mun mot hennes sig närmade,
En vacker dag hon en annan tar—
So near — and yet so far!

NÅGOT ATT TACKA FÖR

(Med anledning af tacksägelsedagen)

Var tacksam! Om för intet annat dock
Att det dig ännu är förunnadt blifvet
Att räknas ibland mänskobarnens flock,
Med andra ord, att du är kvar i lifvet.

Och du bör tacka därför ackurat.
Att lyckligtvis du ej är en besviken
Och i kampanjen slagen kandidat,
Som sitter och är arg på politiken.

Bland andra ting, som du bör tacka för,
Vill jag i dag blott några flyktigt nämna;
Ett obetydligt utdrag blott jag gör
Och måste största delen utelämna.

Att lida brist du här i landet slapp,
Om du var idog blott som lilla biet.
Du är ej ryss och inte häller japp
Och slipper kriga uti Mandschuriet.

Det vackra vädret ock är föremål,
Ty dagarne ha varit högst charmanta,
Och du har inbesparat mycket kol —
Det tål att tänka på, jag skulle anta.

Från Käjsare och kungar är du fri,
Som ofta pläga folket jämmer vålla;
Det är blott några få politici,
Som du på bästa sätt må underhålla.

Har du en son, ej fins det skäl för groll,
Men uti tacksamhet du bör ej fela,
Om han har alla lemmar i behåll —
I fall han har för sed att fotboll spela.

Om du i egenskap af "kvins" försann
Är med när det skall kokas, tvättas, bakas.
Så tacka därför, att du ej är man
Och slipper gå till barbis för att rakas.

Och du bör äfven tacka för vår skörd —
Ett annat skäl kan knappast sättas främre —
Må öfver den ej klagan blifva hörd;
Den kunde ju ha blifvit mycket sämre.

Men liksom du jag hyser nu den tron.
Att slut det här må blifva på min gyckling —
Men mäktar du ej få en stor kalkon,
Nog kan du skaffa dig en liten kyckling!

FARMAREN ÄR KUNG

Nog äro väl grufvorna fulla med malm
  Af skinande silfver och glittrande guld,
Af järn och af koppar från strand och till strand —
  En skänk af naturen, så gifmild och huld,
Allt detta förvisso dock ingenting är,
  Fast rikedom finnes i malmen så tung,
Mot allt hvad oss jordbruket årligen gaf
  I rikaste måtto — ja, farmarn är kung.

Hans tron är en stack utaf doftande hö,
  Hans krona af majs och af morötter gjord,
Hans spira en kärfve af mognade ax,
  Hans tronsal en äng ibland betande hjord.
Och hafren med kornet ses väntande stå
  Att höja sin grönska, så spröd och så ung,
Tribut utaf gyllene äpplen han får —
  Naturen förkunnar att farmarn är kung.

Columbia främst bland nationerna står,
  Symbolen för ymnighet, frihet och frid,
Och tillväxer städse i ära och makt,
  Tack vare blott farmarens sträfvan och id.
Må fåran bli rak och hans skörd blifva stor,
  Hans härliga segrar på åkern besjung! —
Hans värk honom gör till monark ibland män,
  Och honom vi hylla, ty farmarn är kung.

DEN KARLEN, SOM ALLTING VET

På världsmask'raden du liksom jag
   Nog honom möter i skilda lag.
Han pratar ständigt med mystisk min,
Han dricker — hälst sina vänners vin —
Ej fins för honom en hemlighet —
   Den karlen som allting vet.

På hvarje "horse race" du honom ser,
Och bästa trafvarens namn han ger,
Långt förr än någon har tagit start
Och börjat loppet i pilsnabb fart.
Men slår du vad, ja, då blir du bet
   För hans skull, som allting vet.

Och att han kappsegling känner till,
Han säkert dig öfvertyga vill.
Han känner "Shamrock the seconds" halt;
Om "Constitution" han vet nog allt;
Men segla kan han ej — lit' på det —
   Den karlen som allting vet.

Vid hvarje krångligt, politiskt val
Du hör hans röst i hvar källarsal:
"De, som jag nämt nu, gå in med glans;
Det härom aldrig ett tvifvel fans" — —
Men kuggad blir i oändlighet
   Den karlen som allting vet.

Han spår om väder, han spår om vind;
Dock sätt ej därtill din tillit blind! —

"Ja, morgondagen blir mild och klar,"
Han säger, "jag därom förvissning har,"
Men dagen gryr, och vår väderprofet
　　Blir insnöad, förr'n han det vet.

Om spanmålsprisen han visshet har,
På börsen springer han alla dar;
Men där förjagar han i hvart hörn
Båd "bull" och "bear" (det är "tjur" och "björn").
Med misstro skådas han och förtret —
　　Den karlen som allting vet.

Han kritiserar hvart tidningsblad
Och gnor igenom hvarenda rad.
"Det här är dumt, och det här är bra,"
Så lyda ofta harangerna.
Dock knappt kan han skrifva sitt alfabet —
　　Den karlen som allting vet.

När han blir död, och vid himlens dörr
Han står så tvärsäker såsom förr,
Då han är viss om att slippa in —
Skall Petrus ryta ett kallt: "Försvinn!"
Och lurad blir på sin salighet
　　Den karlen, som allting vet.

"LIKSOM DET SKULLE ANGÅ ER"

Min vän Pelle Arg är en konstiger kropp,
Hvars like förvisso ej finnes.
Ej händer, att han slår sin språklåda opp,
Hur än det må gå dig till sinnes,
På allt hvad du frågar blott ett svar han ger:
"Liksom det skulle angå er!"

Du spörjer: hör Pelle, hvad slags religion
Är din — säg mig, hvartåt du lutar,
Tror du på en evighet? — Har du den tron,
Att allting med dödsknäppen slutar?
Säg blott hvad du tänker, jag därom dig ber — —
"Liksom det skulle angå er!"

Men nog kan du yppa för mig nu ändå
Din tanke uti politiken!
Hvem skall nästa valdag som segrare stå,
Och hvilken skall varda besviken?
Din åsikt — bror Pelle — och ingenting mer — —
"Liksom det skulle angå er!"

Till sist nu en fråga: säg, hvarföre går
Du ogift i världen och vankar?
Nog fins det en flicka förvist, som förmår
Att draga till sig dina tankar.
Skall du gå i grafven som enstöring ner? — —
"Liksom det skulle angå er!"

MEJ "BLUFFAR" DU INTE SÅ LÄTT!

Du falska och lismande läsarepräst,
  Som snarlik en ulf uti bygderna går
Att snärja med medel som synas dig bäst
De stackars, enfaldiga, uppkrämda får —
Kom icke hitåt med ditt sliskiga sätt —
  Mej bluffar du inte så lätt!

Och du, som vill pråla som arbetarvän —
Gå på i ullstrumporna, planerna hvälf!
Du städse har varit och du är väl än
För lat till att göra ett dagsvärke själf,
Men nog är du välklädd och nog är du mätt — —
  Mej bluffar du inte så lätt!

Och du, som skroderar och skryter alltjämt,
Som knappast kan tala af sanning ett ord —
Dej känner jag väl; ty jag märker bestämdt,
Hvar gång som i laget en skränfock blir spord,
Jag vet, hvad du går för, min gosse, you bet —
  Mej bluffar du inte så lätt!

Och du, herr "godpimplare", nykter och torr,
Som strider mot Bacchus med anda och själ,
Som ej vågar tömma en endaste knorr,
Men arbetar stadigt "för medbröders väl" —
Just du plägar smygsupa, skvätt uppå skvätt —
  Mej bluffar du inte så lätt!

Du lilla koketta och snutfagra miss,
Som gärna besvarar hvar gentlemans "wink",
Som trotsande trippar, om seger så viss,
Fast skönheten upphjälpts af tusch och af smink,
Ack, vore du ännu så söt och så nätt —
     Mej bluffar du inte så lätt!

I SMYG

Det kanske bör anses en smul' oförlåtljgt
     Att yppa, hvad hälst borde vara fördoldt.
Om äfven det sker såsom nu ouppsåtligt,
Man torde mig klandra med stränghet förbåldt,
Dock trotsar jag gärna den stränga kritiken
Och tar för min visa det sämsta betyg,
Om blott jag får lyfta en smula på fliken
Af sedlighetsmanteln så här — uti smyg.

En nykterhetsdansare plågas af törsten,
Han minnes af gammalt, att bier smakar bra.
I smyg går han bakvägen in och tar först en
Och se'n kan ett par till i smyg han ju ta. —
Fast god såsom guld han ju synes, kassören,
Så flyg till hans sida, min sångmö, o' flyg!
Och hviska förstulet i öronen för'en
Om alla de summor han lånar — i smyg.

Herr X. är så lycklig, så stolt som en konung,
Af trohet hans maka ett mönster ju är.

Hvar morgon han kysser de läppar af honung,
Hvar afton han möts ju af famnen så kär.
Men visste han blott, hvad som händt under dagen,
Han vore af sällheten sin mindre dryg;
Dock torde hans arfvinge i anletsdragen
En dag tala om, hvad hans fru gjort — i smyg.

En liten förtjusande, oskyldig tärna
Bör rodna åt allt, som ej är comme il faut,
Och om hon än önskade aldrig så gärna
Den frukt som förbjuds, ingen får det förstå.
Men ensam i kvällen med endaste vännen,
Hon glömmer så lätt, att hon nånsin var blyg,
Hon glömmer — — ack ja, I som älsken det kännen,
Hur lätt man kan glömma så där — uti smyg.

FÖRNÖJSAMHET

Jag icke någon lustjakt har,
    Ej auto-maskin,
Ej diamanter glänsande
    Och ingen bygnad fin. —
Att samla "fina" aktier
    Jag icke satt som mål,
Och intet jag förtjäna kan
    På fattigmannens kol.

Men hvad som guld ej köpa kan
    Jag har — ty hvarje kväll

Ju mina kära vänta mig
    Invid mitt ringa tjäll.
Min kropp är sund, jag njuta får
    Af samvetsfriden god,
Och hvad jag har, besudlas ej
    Af tårar eller blod.

Ej äger jag kapplöpningsstall.
    Ej sommarresidens.
I källaren fins intet vin,
    Jag har ej tjänstfolk ens.
Lakejer icke stå på tå
    Att tjäna mig i tur,
Och fina mattor pryda ej
    Min våning och tambur.

Jag något vida bättre har
    Än rikedomen slem:
Två starka armar har jag fått
    Och hälsa, kärlek, hem.
Ett gladt välkommen möter mig
    Hvar afton vid min dörr;
Mig lillans åsyn gläder mer
    Än något annat förr.

De rika jag afundas ej
    Och icke deras makt.
Ej skönare är fågelns sång
    För dem och blommans prakt,
Ej klarare sig solen ter
    På fästet blå för dem,
Men jag är lycklig som en kung
    I skötet af mitt hem.

"DET GÖR HVARKEN TILL ELLER FRÅN"

M in vän Charlie P., han är lustig,
 Och torrolig är han som få,
I uttrycken kanske väl mustig,
Men icke oäfven ändå.
Han åldrats och stör sig på käppen,
Ty gikten har arbetat på'n;
Dock städse han för uppå läppen:
 "Det gör hvarken till eller från."

Han städs är så nöjd och belåten,
Som människan gärna kan bli.
Han ger politiken på båten
Och tillhör ej något parti.
Han röstar, som hälst han behagar,
Och kallas han därföre fån,
Han svarar blott, fast han ej klagar:
 "Det gör hvarken till eller från."

En gång i sin ungdom, den gröna,
Då än han var rak i sin rygg,
Han dyrkade könet det sköna,
Men flickan mot honom var stygg.
Hur än han bjöd till för att kuttra,
Hon gaf honom korgen med hån,
Men Charlie, han hördes blott muttra:
 "Det gör hvarken till eller från."

Ej mer blef han konstig i knoppen,
Lät kärleken löpa sin kos,

Men hjärta han hade i kroppen,
Så varmt och så rymligt därhos.
När hälst som han pluringar hade,
Han gaf sina vänner ett lån,
Men om han bedrogs, han blott sade:
"Det gör hvarken till eller från."

Jag hade hos honom härbärge —
På sådant helt ofta han bjöd —
Då kom det ett bud ifrån Sverige:
Hans fader, den gamle, var död.
"Res hem", rådde jag, "för att ärfva,
Du är ju, bror Charlie, hans son!"
"Nej, summan, jag skulle förvärfva,
Den gör hvarken till eller från."

Vi talte om flottan och hären,
När senast vi mötte hvarann.
"Hvad tror du om "Schleyska affären?"
Jag sporde försiktigt min man.
"Här gäller minsann vara vaken,
Om man för det rätta är mån." —
"Bah," svara' han, "strunt i den saken!
Den gör hvarken till eller från!"

"Du läser väl Kalles 'För dagen'?"
Jag fortfor med illistig min.
"När riktigt han kommer i tagen,
Kan då du dig hålla för grin?" —
"Den stymparen icke jag 'likar',
En humbug från hjässan till tån;
Men skäller han eller predikar —
Det gör hvarken till eller från."

MAN ÖFVERDRIFVER

Vår tid är öfverdriftens tid,
  Ej något tvifvel fins därvid,
Och därför nu jag skrifver
En liten enkel rimmad stump
För att förtälja få i klump,
  Hur lätt man öfverdrifver.

Se t. ex. när ett hus
"Down town" föres upp burdus,
  Hur emot skyn man klifver!
Snart femti våningar försann
I slika hus man skåda kan,
  Förty man öfverdrifver.

Snart hvar butik blir ett palats,
Ty nog man aldrig får af plats,
  När som man öfverdrifver;
Man snart affären går i kras
Och rörelsen omhandatas
  En dag af en "receiver."

På bicykel ju trampa nu
Hvar herre, pojke, flicka, fru,
  Man rusar fram med ifver.
Men får för sanning jag bli tolk,
Skall puckelryggigt bli vårt folk
  Om så man öfverdrifver.

Hvar söndagstidning (om du tror)
Som redan nu är allt för stor,

Snart 100 sidor blifver,
Och tvenne veckor, bäste vän,
Det tager dig att läsa den,
Om så man öfverdrifver.

På klädningslifvet endast se!
Är icke det en styggelse,
Som fasa dig ingifver?
Ballonger "lifven" blifva snart,
Och kvinnan blåser bort med fart
För att hon öfverdrifver.

Jag kunde skrifva "flera band" — —
Men manuskriptet ur min hand
Operatören rifver.
Och därför mer jag skrifver ej,
Att det ej sägas skall om mej,
Att jag ock öfverdrifver.

SVAGHETSSYNDER

Se'n Adam blef bortkörd ur Eden
För att han åt äpplet, gunås,
Har mänskan behållit den seden
Att synda af svaghet, förstås.
Och hur man emot månde streta,
Så gör man dock snedsprång hvar dag —
Att orätt det är, kan man veta;
Men det har sina stora behag.

Du sitter och spelar på klubben
Så treflig och full utaf "glee",
Du känner dig, tack vare nubben,
Så kry som ett surrande bi.
Din gumma förvisst skall det reta;
För dig skall hon läsa sin lag —
Att orätt du gjort, kan man veta;
Men det har sina stora behag.

Man endast bör älska en kvinna,
Det säger den Heliga Skrift,
Dock brottslig man härvid skall finna
Rätt mången, som redan är gift.
Den frukt, som förbjuds, vill man leta
För den är man städse så svag —
Att orätt det är, kan man veta;
Men det har sina stora behag.

Vi trifvas rätt gärna vid bålen,
Dock hälst uti aftonens stund;
Då tömmes så gladeligt skålen,
Se'n "tritarne" börjat sin rund.
Och drycker hvad än de må heta,
Man blandar af farliga slag — — —
Att orätt det är, kan man veta;
Men det har sina stora behag.

DET BEROR PÅ EN SLUMP

Att allting i världen af slumpen beror,
   Af fullaste hjärta förvisso jag tror.
Ej tjänar det till att planera ett grand;
Allt hvilar i ödets så mystiska hand. —
Om bra eller dålig den blir nu, min stump,
   Det beror på en slump.

Vid födelsen likna vi mycket hvarann,
Fast en varder kvinna, och en varder man.
En blifver ett snille, ett skinande ljus,
En går genom lifvet liksom en tungus,
Som knappast har vett i sin döpelseklump,
   Det beror på en slump.

En strålande tärna ses sväfva omkring
Precis som en fé i tillbedjarnes ring.
Hon väljer och väljer, så länge hon kan,
Och kanske hon slutligen får sig en man.
Hon kan ock bli nucka, som spår uti sump —
   Det beror på en slump.

En trifves så godt uti arbetets id
Och har ej för nöjena alls någon tid.
En blifver kantänka en världsman så fin
Och läskar sig städs med det porlande vin.
En släcker sin törst ifrån närmaste pump,
   Det beror på en slump.

En mötes i hela sitt lif utaf tur,
Då fåfängt en ann' gör Fortuna sin kur.
En födes att bära så kostbar en dräkt,
Men ändå det händer, att han blifver "knäckt"
Och slutligen traskar omkring uti lump —
    Det beror på en slump.

Och se'n vi ha sträfvat i hela vårt lif
Med sorg och bekymmer och oro och kif,
Om banan var lång, eller banan var kort,
Ja, då kommer döden och plockar oss bort.
Om nedåt det bär eller upp med en "jump" —
    Det beror på en slump.

SMÅ PRETENTIONER

Af lifvet icke mycket jag begär,
    Ty nöjd med litet jag beständigt är,
Och ganska lätt man kan mig tillfredsställa.
Min anspråkslöshet är i sanning stor;
Dock må för den, som detta icke tror,
Det nedanstående som prof få gälla.

För granna kläder är jag aldrig svag,
Bär samma dräkt båd' sön- och söckendag
Och bär den ganska länge till på köpet.
Vår herre nog af sundt förnuft mig gaf,
Att aldrig under modet jag blef slaf —
Som "dude" jag skulle stannat uti stöpet.

Revolver vill jag aldrig på mig ha;
Mitt enda vapen äro näfvarna,
Och jag är nästan lika stark som Goliath,
Jag bär ej handskar, mycket sällan käpp,
Ej snodd mustasch uppå min öfverläpp;
Mitt hår är hvarken kammadt eller oljadt.

Jag frestas ej af flaskor eller glas,
Ej längtar jag att bjudas på kalas
— Sak samma, hvad man dukar upp på faten —
Ty någon läckergom jag aldrig var,
Jag är belåten, om jag endast har
Tillräckligt af den enkla, sunda maten.

Jag älskar ej de praktfulla gemak,
Och som en följd utaf min enkla smak
Jag sämre trifs i slott än uti koja.
Af goda vänner höfs mig blott ett par,
Och kärast är mitt hem, hvarest jag har
"En hälft så öm" och ett par små, som stoja.

En mammonsdyrkare jag aldrig var;
Till guldet jag alls ingen kärlek har
Helt simpelt därför, att jag aldrig fick den.
Att lefva sorgfritt är hvad jag begär,
Att slippa bråk, bekymmer och besvär
Och att få vara uti fred för — gikten.

DEN SVENSKA AFUNDSJUKAN

Fast mycket redan skrifvet är
   Om svenska afundsjukan,
Vill jag en bit servera här,
Och hoppas, ni må sluka'n.
Den sjukan är vår skötesynd,
Så har det blifvit skrifvet;
Men hvem som först gjort detta fynd,
Är än ej upptäckt blifvet.

Exempelvis fru Johnson får
En klädning ny, kantänka,
Hvarpå så stassande hon går
Att hälsa på sin fränka.
Men denna ger sig ingen rast
— Af afund nästan gröner —
Förrän hon skaffat sig i hast
En dress långt mera sköner.

En tidningsägare med blick
Helt vaken och förmåga
Ses röna framgång stor och kvick,
Men genast, vill jag våga,
Hörs hvarje sömnig konkurrent
Nu skälla ned hans tidning:
"En pappersdrake — det är kändt —
Om än den har stor spridning!"

En svensk är vorden kandidat
För en politisk syssla.

Strax med hans lif och hvar mandat
Ses afundsjukan pyssla.
Och mången landsman med behag
Tar till den gamla satsen:
"Nog kunde jag och jag och jag
Långt bättre fylla platsen."

Så går det — så har städs det gått,
Tack vare afundsjukan.
Hvarhälst en svensk har framgång nått
Försök ha gjorts att stuka'n.
Men enighet det tarfvas här,
Ifall vårt väl skall främjas:
"Si, huru godt och ljufligt är,
När bröder kunna sämjas!"

DET BLIR VÄL ALLTID NÅGON RÅ'

Om du dig känner trist och tråkig,
    Som hända kan ju allt ibland,
Och vandringsstråten syns dig bråkig,
Så tag blott ske'n i vackra hand
Ty om af motgång och bekymmer
Du drages ned så djupt "som så" —
Det är blott moln som solen skymmer,
    Och alltid blir det någon rå'.

Om du har gått och "kärat ner" dig
Samt suckar oj och ve och ack,
Men flickan icke gärna ser dig,
Dock därför ej så trumpen gack!

Kanske var han dock ej den rätta;
Du kan en mycket bättre få.
Din sorg bör du åsidosätta:
        Det blir väl alltid någon rå'.

Det händer, din kredit tar törnar
I trots af all din vigilans.
Och kanske några grymma "björnar",
De dansa omkring dig sin dans.
Låt du dem blott sig dansa trötta,
Såväl de stora som de små.
Ty bli de endast väl bemötta,
        Så blir det alltid någon rå'.

Om dina vänner, hela bundten,
Dig vända i en hast sin rygg,
Så ä' de alla "bara strunten",
Och du kan känna dig helt trygg.
Du skall dig reda dem förutan;
Din egen farkost står du på.
Du är ändå kapten på skutan:
        Det blir väl alltid någon rå'.

Ligg icke vaken och fundera
Uti den stilla nattens frid,
Hur du skall kunna dig klarera,
När slutad är din lefnads strid.
Må endast du i minnet fästa,
Hvad sist jag låter dig förstå.
Att har du gjort ditt allra bästa,
        Så blir det alltid någon rå'.

TVÅ LIFSÅSKÅDNINGAR

Pessimisten

L ång arbetstid med ringa fröjd
   Och ingen skymt af hoppet.
En suck, en tår, och man är nöjd
   Att sluta lefnadsloppet.

Blott fiender på alla håll
   Och endast falska vänner.
Bland vedermödor, släp och groll
   Man ingen glädje känner.

Vår korta lefnad är en strid
   Med sorger och bekymmer;
Ej förr oss vinkar värklig frid,
   Än dödens afton skymmer.

Vår ungdomsfröjd så snart förgår
   Liksom en brusten bubbla;
Se'n få vi under många år
   På mångt och mycket grubbla.

Från vaggan till den stilla graf
   Ses åren rastöst ila
I hopplös strid, som ödet gaf,
   Och sist — en evig hvila.

Optimisten

En rosenskimrad ungdomstid
  Med tro och hopp och kärlek
Och längtan efter ädel strid
  I lifvets hårda härlek.

Af trogna vänner städs en flock,
  Som hjälpa bördan bära,
Men fiender desslikes ock
  Att strida mot med ära.

En ädel strid vi kämpa för
  Det rätta och det sanna,
Och därför hvarje mänska bör
  Med mod sig gladt bemanna.

Att troget fylla hvarje plikt
  Blott alstrar ro och nöje,
Och dysterhet förjagas kvickt
  Af sång och skämt och löje.

Från vaggan ända till vår graf
  Må jubelsånger klinga
För alla fröjder lifvet gaf
  Att sorgerna betvinga!

"TÅLA DEJ, JOHAN LILLE."

(I all välmening tillegnadt en nykommen landsman)

Tåla dej, Johan lille,
  Allt skall nog gå väl.
Hemlängtan raskt du stille
  I din trumpna själ!
Synes den mörk, din bana,
  Då du än är "grön",
Skall den, förr'n du kan ana,
  Blifva ljus och skön

Tåla dej, Johan lille,
  Undvik avenyn!
Ej du bland krogar trille,
  Lätt du dras i dyn.
Svär ej i motgångsbacken
  Öfver Onkel Sam!
Håll dig blott styf i nacken.
  Och du drar dig fram.

Tåla dej, Johan lille,
  Är i dag du "svång",
Snart nog du bjuds på gille
  Och får lefva bång.
Ej skall du strax begära
  Att galant det få,
Krypa du måste lära
  Innan du kan gå.

Tåla dej, Johan lille,
  Hoppas ej för fort,
Om ock du äger snille
  Som är ganska stort.
Det skall i lifvets strider
  Göra segern lätt.
En dag, hvad tiden lider,
  Tar det ut sin rätt.

Tåla dej, Johan lille,
  Äfven om du fann
Att hvad du äga ville
  För din syn försvann.
Tappa blott aldrig modet,
  Fyll din själ med hopp.
Glöm ej att svenska blodet
  Flyter i din kropp!

* * *

Tåla dej, Johan lille,
  Johan lille,
  Johan lille!
Tåla dej, Johan lille,
  Johan lille
    Du !

FROMMA ÖNSKNINGAR

Jag önskar jag lefvat i fordom tid,
Då ungmön var blygsam och klok och blid,
Då hon var trogen därhos, som kändt,
Och mannen ej mättes med dollar och cent.
Då var det bättre än nu, jag svär,
När hvar och en så blaserad är.

Jag önskar jag lefvat i dessa dar,
Då riddaren städse beprisad var,
När för den sköna han stred med glans,
Och äktenskapsskilsmässor ej det fanns;
Den tiden är mig ännu så kär,
Men nu hvar mänska blaserad är.

Jag önskar jag lefvat för längese'n —
Den gråa forntid, jag älskar den,
Då man sig redde förutan slant
Och millionären var obekant.
I vår tid allting på tok ju bär,
Då hvar och en så blaserad är.

Jag önskar att med Metusalem
Jag lefvat, kry i hvarenda lem,
Då hundraåringen pojke var,
Och det tog längre för att bli karl.
Nu åldern svårt på vår lifhank tär,
Och hvarje mänska blaserad är.

Jag önskar jag lefvat med Brigham Young
Och varit manlig och käck och ung
Och kunnat ha mina två tre vif
Och vågat äta bekvämt med knif. —
Ja, slika önskningar nu jag när,
Då mänskosläktet blaseradt är.

DEN GAMLE MED PIPAN

Sin lilla pipa rökte han,
    Fast gammal var hon nog,
Och dystert allt emellanåt
    En stilla suck han drog.
"Hur kommer det sig," då jag sad'
    Att du så sorgsen är?
Du har väl, stackars gamle man,
    Haft motgång och besvär?

Du suckar kanske därför att
    Du gammal är och bräckt,
Måhända har du ock till skäl
    Att sliten är din dräkt." —
"Nej," svaret löd, "det går nog bra
    Som hittills det har gått,
Och mina kläder duga nog — —
    Jag blott funderar smått." —

"Och hvad funderar du då på?
    Berätta det för mig.

Har lyckan ej dig varit blid
    Uppå din lefnadsstig? —
"Bah! Lyckan kommer, lyckan går,
    Och mig hon aldrig brydt."
Och så sin gamla pipa nött
    Han stoppade på nytt.

"Måhända drömde du en gång
    Ditt lif en rosendans,
Törhända ock din längtan stod
    Till äreställens glans." —
"Den gången skall jag säga er,
    Min herre, att ni ljög,"
Så svaradé den gamle blott
    Och på sin pipa sög.

"Men någon orsak fins det väl
    Att du bedröfvad är.
Du kanske mistat har en vän
    Som var dig dyr och kär.
Måhända sörjer du också,
    Att världen är så slem.
Du måste hafva några skäl.
    Låt mig nu höra dem!"

"Jag tänker endast på en sak,"
    Den gamle gaf till svar,
"Hur trist och kusligt det skall bli,
    När sist jag hädan far.
Det kan ju hända när som hälst,
    Jag gammal är och svag,
Men pipan kan jag ej ta med —
    Och därför suckar jag."

TAG SAKEN KALLT

Ifall du älskar en liten tös
Och hon täcks gifva dig korgen,
Så bryt då icke i vrede lös,
Men dränk i fluidum sorgen
Gå ej åstad och dig skjut för pannan,
En vacker dag får du nog en annan —
Tag saken kallt!

Du dröjt dig kvar i ett muntert lag
En aftonkvist uppå krogen,
Du känner dig uti benen svag,
Som oxen just framför plogen
Men om i hemmet den hulda makan
Dig ger en läxa a la sparlakan —
Tag saken kallt!

Det fins törhända en kandidat
För hvilken du synes knoga,
Och vald, det blir han ju ackurat,
Det vet på förhand du noga
Dock — om hans löfte till dig blir brutet,
Och om han rent af dig vänder — slutet —
Tag saken kallt!

När du har slutat ditt vandringslopp
Och "kolat af" som det heter,
Du kilar hastigt mot himlen opp
Och där du träffar Sankt Peter
Om han till helsefyr då dig sänder
Att blifva en af dess många bränder —
Tag saken kallt!

DE BÅDA REDAKTÖRERNA

Det fanns en gång, som det väl fins i dag,
     Uppå en plats två tidningsredaktörer.
Hvar platsen var, det vet dock icke jag —
Ej häller det precis till saken hörer.

Den ene hade ej den andre kär —
De lågo städs i lufven på hvarandra,
En sak, som mellan murflar vanlig är
Och som det icke lönar sig att klandra.

Men grälet fortfor både dag och natt;
De läste för hvarandra lagen,
Till dess det hände sig en afton att
Den ene utaf döden bort blef tagen.

Ett år därefter — kanske var det två —
Så syntes ock den andre "kola vippen",
Och, huru konstigt än det låta må,
Mot himmelrikets port han styrde trippen.

Och se'n han bultat, svarar Sankte Per:
"Hvem där?" och höres skaka sina nycklar,
"Hvad hopp har du väl att bli insläppt här?
Sjung ut! Men ve dig om du gycklar!"

"En murfvel blott, som åtrår änglaskrud,
Som hela lifvet dygdig sökt att vara.
Med stort G har jag alltid skrifvet Gud,
Då lilla h för "hornper" nog fått vara."

Då säger Petrus, porten upp han slår:
"Kom in! Fast dina skäl här föga väga.
En plats du finna skall, som ledig står
Vid sidan af din ärade kollega!"

"Nej", svarar redaktören, "är det så,
Att han är här, det arga, gamla skrället,
Får jag betacka mig och genast gå
Att söka komma in på andra stället."

LEBEN UND LEBEN LASSEN

Ej namn jag vunnit som stor poet,
　　Fastän jag kikat i hemlighet
　　　En längre tid mot parnassen.
Sak samma gör det i alla fall;
Mitt gamla valspråk mig trösta skall:
　　Leben und leben lassen!

Jag får ej slumra i paulun
På bolster, fyldt utaf ejderdun,
　　　Blott halm jag har i madrassen,
Men lika roligt är det ändå
Jag sofver säkert och lugnt som få —
　　Leben und leben lassen!

I fina världen jag aldrig fanns
Jag dåras icke utaf dess glans,
　　　Jag rent af struntar i stassen,

Nej, ge mig vänner, en liten flock,
Men bannlys städs etikettens pock! —
  Leben und leben lassen!

Om nöd och motgångar stöta på,
Om mina björnar så tätt syn's stå,
    Som invid stranden står vassen,
De snart förgätas i skämt och glam,
Ty gamla valspråket drar jag fram:
  Leben und leben lassen!

Och om jag friar och jag får nej,
Så går jag inte och dränker mej;
    Nej, jag hör ej till den klassen
Ty oförtöfvadt jag tar en ann';
Jag pröfvat på'et och klokt det fann —
  Leben und leben lassen!

Jag dabbar ej uti politik;
I detta fall är jag Gucken lik,
    Och därpå "skaka vi tass" se'n
Ej någon mat-trust gör mig besvär,
Förty jag gudskelof ogift är — — —
  Leben und leben lassen!

Men när mitt lifslopp till ända går,
Och nolens volens en dag jag får
    Besök af döden, den bassen,
För sista gången uti mitt lif
Jag höjer stämman liksom på kif:
  Leben und leben lassen!

SOPPA PÅ EN SPIK

Herr pastorn i sin svarta rock
I predikstolen vred syns stå,
Han skrämmer upp sin stackars flock,
Den skall helt visst åt — fanders gå,
Om den ej bot och bättring gör
Och varder änglaskaran lik .
Hvad tror du han skroderar för? —
Han kokar soppa på en spik.

En yankee blir kompositör
Och krystar fram en melodi,
Som oförtöfvadt får gehör
Och landet rundt hörs sjungen bli.
Slagdängans like dock det är,
Som saknar spår af sann musik;
Kompositören har ju här
Blott kokat soppa på en spik.

Till ett politiskt möte du
I valkampanjen ger dig af.
Hvad är det du får höra nu,
Hvad är, som gäller stundens kraf?
Jo, talaren, som för dig står,
Vet inte alls af politik,
Blott ordsvall från hans läppar går:
Han kokar soppa på en spik.

I hörnet står en street fakir
Och säljer något uselt kram

Han trött i truten icke blir,
Fast tungan hotar att bli lam.
Hans svammel är blott, käre bror,
Ett vittnesbörd om gruflig cheek
Och med sin pratförmåga stor
Han kokar soppa på en spik.

En nyhetstidnings redaktör
Sin "ledare" skall färdig ha.
I brist på ämne han då bör
Ett sådant utur rymden ta
Och utstoffera, tänja ut
Med uppfinningsförmåga rik — —
Men då han färdig blir till slut,
Han — kokat soppa på en spik.

FJÄRDE JULI

Ä ndligt kommen är den Fjärde, som för
hvarje pys har värde; tidigt han den
fira lärde, då han ännu gick i kolt.

Han sig gladt åt denna dagen, men om nu
han blir bedragen och får lof att lyda
lagen, är ju detta rent förbåldt.

"Firecrackers" jättestora måste han i år
förlora och får hälsa Aurora blott
med lindrigare skott.

Små pistoler fordom sköt han, och af leken
grundligt njöt han, men i fjor med des-
sa slöt han, sedan varningar han fått.

Men trots slika små förtreter köper han sig
nog raketer jämte andra rariteter,
hvarmed han kan "mäka nojs."

Intet vill han sakna häller utaf allt som
duktigt smäller ifrån morgon och till
kväller, då helt sent han går till kojs.

Men i morgon det beger sig att han gan-
ska ynklig ter sig, då han uti spegeln
ser dig, om i den han skåda kan.

Ty blessyrer många bär han, men i dem
han sätter äran och helt stolt i sinnet
är han öfver firandet minsann.

KORSETTEN

Se först på denna bild:

En
kvinnas
lif du skå-
dar här, som af
korsetten hoptryckt är.
Hvartenda refben, illa klämdt
där prässar lungorna allt-
jämt, och hjärtat i sin
värksamhet likt lef-
vern stöes, ` som
man vet. Så
svårt är
magen
k l ä m d
minsann att
smälta födan ej
den kan. Men hvar-
je kvinna i korsett sig tror
så fin och smärt och nätt
tills matt och sjuk hon
dignar ner, då först sin
galenskap hon ser.

Se se'n på denna!

Här ett
naturligt
kvinnolif du
ser, och akt nu noga
gif! Det trycktes aldrig
af korsett, och därföre be-
gripes lätt att innanför
blott hälsa bor, och
formen får en grace
så stor. Ett så-
dant lif gör in-
gen svag, men
skänker glädje
och behag, och mid-
jan, frisk och fyllig
se'n! En arm kan knap-
past famna den.—Ju förr det
täcka könet lär hvad ondt kor-
setten med sig bär, skall dästo
snarare dess lott en dans
på rosor blifva blott.

MIDSOMMAR I SVERIGE

En ståtlig majstång är rest i byn,
Den pryds af färgade pappersfransar
Kulörta äggskal och blomsterkransar
Och sträcker sig emot skyn.
Rundt omkring stången af gammal vana
Man bygt af plankor en dansebana
Där bygdens ungdom med friska tag
Skall svänga om intill ljusan dag.

På grofva bänkar, på banans golf
Ses raska pojkar och fagra töser.
Se, Stor-Svens Stina af högmod pöser,
Hon är så god väl som tolf.
Och korgen har hon väl mången kar' gett,
Men Nilses Kalle från seminariet —
Den vill hon ha, men kan inte få:
För Härrgårds-Karin han står på tå.

Där ha vi Lena och korpral Sven,
Och armen håller han omkring lifvet
På flickebarnet — det är ju gifvet,
Jojo, man känner nog den!
I hvarje by har han fästekvinna
Och flera söker han blott att vinna,
Ty uniformen, så fin och grann,
Hos täcka könet städs framgång fann.

Här bjuder Stor-Lasse uppå snus,
Visst hela dussinet får han "mata",

Där höres skräddarens Olle prata
  Om "mästers" senaste rus,
Men under tösernas glada fnitter
Hörs Pelle ropa: "Den som nu gitter
  En karamell kan sig få, så rar,
  Ty Pelle är det, som påsen har."

Nu knäpper Nisse på sin fiol
Och ton han tar utaf Dragspels-Johan.
(Den spelemannen är något go' han
  Och kom från Stockholm i fjol.)
En munter polska hörs lifligt klinga
Och par om par sig kring stången svinga,
  Och hårda klackar slå raska slag,
  Och starka armar ta säkra tag.

Så fortgår dansen den hela natt,
Men då och då man sig vederkvicker
Och hembrygdt dricka man ymnigt dricker
  Allt under stojande skratt. —
Men rundt omkring uti skog och hagar
Så mången yngling sin kärlek klagar
  För hjärtevännen, som i hans nöd
  Hörs trohet lofva till blekan död.

MINNESOTA-VINTER

Som annat ämne ej för handen finnes,
Vill jag i dag här draga mig till minnes
Och gifve eder några enkla hinter
Om en gedigen Minnesota-vinter.

På 40 grader kallt står termometern,
Och gulgrön utaf köld är själfva ethern.
Mot kylan ute ingenting dig frälsar —
Ej ens de allra bästa vargskinnspälsar.

Det fins ej en person, som promenerar:
Man springer, stampar, hoppar, gallopperar.
Ej ser man åkdon eller ekipager;
Men isberg bildas uti ens mustascher.

Och för att skydda kroppen emot kylan
Behöfver man minsann försvarligt skyla'n
Och bona om försiktigt alla lemmar,
Om man vill undgå frostens svåra klämmar.

Som is far andedräkten ned till marken,
Då är det bäst att ta en tår — en stark en —
Ty det behöfves mången glödhet droppe,
Om man skall kunna hålla ångan oppe.

Då är kaminen just en hedersknyffel,
Men han bör matas med en välfyld skyffel
Af dyra kol tolf gånger hvarje timma,
Om man ett spår af värme skall förnimma.

Om jag vill sjunga, fryser genast trallen;
Ja, själfva tanken fryser uti skallen,
Och felar mig en rim, tar jag ett klippt ett;
Ty rim-frost hvilar öfver manuskriptet.

DÅ MÅSTE JAG LE

När svensken, som vistats här tre, fyra år,
   Vill inbilla folk, han är amerikan,
När svenskan, vid hvilken han städse var van,
Han mera ej talar och knappast förstår,
När han vill af yankee sig anstrykning ge —
      Då måste jag le.

Då amerikanen förnumstig i smyg
Föraktar de skaror från främmande strand,
Som kommit att dela med honom hans land,
Med honom som tror sig så klok och så dryg,
När ofta han ej är så klyftig som de —
      Då måste jag le.

Af gammalt är rättvisan utmålad blind;
Men här är hon ock, jag försäkrar er, döf,
Och liknas hon kan vid ett darrande löf,
Som faller till marken för pänningens vind.
När domstolars narrspel jag stundom får se —
      Då måste jag le.

Här aldrig man ser en politisk kampanj,
Där sanna förtjänsten sig gällande gör.
Beklagligtvis ofta den satsen man hör:
"Han köpt sina röster med guld och champanj." –
När man för att väljas bör muta och be —
Då måste jag le.

Snart nittonde seklet har slutat sitt lopp,
Och upplysning städse det fört i sin sköld;
Men prästerna ännu med mörker och köld
Försöka att kväfva båd' frihet och hopp.
Men när de ej lyckas med ack och med ve,
Då måste jag le.

Och när ibland hycklarnes tarfliga flock
Den störste i samlingen höjer sin röst
Och sjunger till stallbröders gamman och tröst
Om hycklarekåpan — ja falskheten ock —
Då vet jag, att visan är rimmad på spe —
Då måste jag le.

EFTERKLANG FRÅN "PINAFORE"

Amiralens kupletter

I ungdomen hade jag ackurat
    Som springpojke plats hos en advokat.
Jag lagen såg vrängas på alla sätt,
För jag sprang i rådsturätten hvarje dag så nätt,
Jag sprang med långa luntor i tusental —
Och därför jag till sist har blifvit amiral.

Jag steg uti graderna ett tu tre,
Snart fick jag befattning som skrifvare,
Jag satt där så träget med viktig min
Och jag renskref protokoller utaf bara hin,
Jag renskref protokoller med bred marginal —
Och därför jag till sist har blifvit amiral.

Jag började själf att studera lag
Och blef advokat se'n en vacker dag.
Snart rykte jag fick som en lagklok man,
Uti alla rättegångar var det jag som vann,
Ja, rättegångar vann jag med en tunga hal —
Och därför jag till sist har blifvit amiral.

Och allt gick charmant, ty jag blef millionär,
Jag kunde mig mäta med mången pere;
Till mina supéer kommo lorder blott,
Och ibland jag såg ministrar i mitt stora slott,
Jag bjöd ett par ministrar på supé med bal —
Och därför jag till sist har blifvit amiral.

Och slutligen erhöll jag som present
En ledamotsplats i vårt parlament.
Jag väckte ej någonsin spit eller kif,
Nej, i allting var jag städse stock-konservativ;
Jag hatade som pästen hvarje radikal —
Och därför jag till sist har blifvit amiral.

En gyllene regel till sist jag har,
Som gärna jag skänker åt en och hvar:
Vill titlar ni vinna och dito granna band,
Så gå ej ut till sjös, men stanna kvar på land!
Ty alla kunna se, att jag gjort det bästa val —
Och hvar och en som jag kan blifva amiral.

MINNESOTA

Nu vill i korthet jag draga mig till minnes
Och så förtälja för eder hvad som finnes
  I Minne-Minne-Minne-Minne-
        Minne-Minnesota.
  I Minne-Minne-Minne-Minne-
        Minne-Minnesota.

Trefnad det finnes båd' i palats och stuga,
Och vårt klimat se'n! Jag tror det heter duga
  I Minne- etc.

Jorden är utmärkt för odling och för bete;
Här växer städse det allra bästa hvete
  I Minne- etc.

Insjöar ha vi — jag tror de äro tusen —
Och Minnetonka det är, som just gör susen
  I Minne- etc.

Här står man stadigt och lider ej af benbrott;
Men vi ha många och ganska rika stenbrott
  I Minne- etc.

Vi ha fabriker, där skor man gör af lädret
Och vi ha ispalats (som dock bero af vädret)
  I Minne- etc.

Om det blir kallt, ja, då vet jag hvad som lugnar:
Här göras ärliga svenska kakelugnar
  I Minne- etc.

Sågvärk och kvarnar ge ökning åt vår kassa;
Svenska och norska bankirer fins i massa
I Minne- etc.

Farmaren tryggas så skönt af alliansen,
Bara herr Donelly inte stör balansen
I Minne- etc.

Nere i Washington sitter i kongressen
Endast en svensk — det är Lind, den säkre bjässen.
Från Minne- etc.

"Nordbor" emellan ej hatet nånsin glöder;
Svenskar och norrmän, de trifvas såsom bröder.
I Minne- etc.

Allt, som är präktigt, det ha vi, och förrästen
Få vi i sommar den stora sångarfästen.
I Minne- etc.

Bland vattenfallen är vackrast Minnehaha,
Bland "publicister" den styfvaste är — A.—A!
I Minne- etc.

EN LITEN NICKEL-VISA

Att guld och silfver ägna värdigt pris
    Må andra gärna knäppa lyrans strängar
Jag sjunger blott om nickeln på mitt vis,
Ty den bör äfven räknas såsom pängar.

Om t. ex. intet hem du har
    Och knappast orkar hufvudet att resa,
Så kan, om du en nickel blott har kvar,
    Du på ett "boarding house" få kinesa.

En nickel gifver dig en spårvagnsfärd
    Ofantligt lång — du slipper gå och hanka.
En fin-fin tvål är blott en nickel värd,
    Och för en nickel får du skorna blanka

En påse tobak, som dock ej är slem,
    För nickeln kan du skaffa dig behändigt,
Och stogies kan du köpa "tre för fem" —
    Vid slika uppköp kommer nickeln händigt.

Du kaffe får med dopp förutan prut
    För nickeln — eller ock en söndagstidning,
Som om du breder den på golfvet ut
    Till matta, får en rätt försvarlig spridning.

Ja, mycket mera du för nickeln får,
    För denna slant, som är en gudagåfva.
Besök allenast ett "department store",
    Och du skall bli förvånad, vill jag lofva.

TÄNK, OM DU VORE ZAR!

Du klagar att allting emot dig syns gå;
Du kanske är blind eller kanske halt.
När grannen får åka, då måste du gå;
Du arbetar träget, men basen får allt.
Du knotar och svär
Och missnöjd du är,
Att grymmaste otur i världen du har.
Ej någon ännu
Haft värre än du —
Men tänk, käre vän, om du vore zar!

Du klagar att lifvet så osäkert är
Och fruktar att faror det fins på din stig.
Kanhända du är öfver öronen kär,
Och flickan med "korgen" har afspisat dig. —
När vintern är svår,
Din längtan nog går
Till milda klimat med dess solvarma dar.
I stort och i smått
Så hård är din lott —
Men tänk, käre vän, om du vore zar!

Du åldras — så skrumpen och torr blir din hy;
Du känner dig själf knappast mera igen.
Då vädret är vackert du har paraply,
Men städs när det rägnar, då har du ej den
Du knotar också
Öfver krämporna små
Och tror väl att någon i grafven dig drar.

Du finner ej frid
Efter arbetets id —
Men tänk, käre vän, om du vore zar!

Du spar dina pängar och tycker dig se
Att snart dem fördubbla du tillfälle har,
Fast kanske i stället det så kan sig te
Att du går förlustig om allt du har kvar.
Du söker väl se'n
Få allting igen.
Men fåfängt du äflas, försakar och spar.
Nog synes det hårdt
Och är nog så svårt —
Men tänk, käre vän, om du vore zar!

MEDALJENS FRÅNSIDA

Den lilla fru X. är af godhet en bild,
Så saktmodigt är hennes sätt,
Så from som en ängel och likaså mild
Hon ifrar för sanning och rätt.
Men är hon i skvallrande systrarnes lag,
Där kafferep hålles med glam,
Hon baktalar nästan med utsökt behag;
Då kryper ragatan fram.

Herr prosten domderar af baraste hin
Hvar söndag för syndarnes flock,
Och nog är han spränglärd i teologin
Samt känner till dogmerna ock.

Men träffar han stundom på tumannahand
Ett kvinligt och oskyldigt lam,
Han talar om allt — utom himmelens land:
Ty då kryper ulfven fram.

Grossören sig vräker så ytterst kavat,
Sin väg syns han hederligt gå.
En pelare är han i kyrka och stat
Och ansedd han är såsom få.
Men står uppå börsen han vackert och väl·
Ibland spekulanternas stam
För guldet han offrar sitt lif och sin själ:
Då kryper spelaren fram.

En krigsman så båld är nog colonel Y,
— En typ utaf krigsguden Mars —
För fienden aldrig man såg honom fly,
Han deltog i kriget, bevars!
Men kommer han hem litet mosig en natt
Han darrar för hustrun — hvad skam!
I säng han sig smyger så rädd som en katt:
Då kryper ynkryggen fram.

Ja, allt är ej så som det synes, gudnås,
Uti denna syndiga värld.
Bedragen, det blir man rätt ofta, förstås,
Af glitter och lysande flärd.
Men ett är dock säkert, och därpå jag svär,
Ty så jag det städse förnam:
Betrakta blott människan såsom hon är —
Då kryper sanningen fram.

"KLAR I KNOPPEN"

Tillägg till "Hustaflan"

§ 1. Uti vår usla jämmerdal,
    Så fyld af sorger, fyld af kval,
Man ofta nog tar styrkedroppen;
Men tutas det ock med besked,
Bör ändock måtta vara med:
Man städs bör vara "klar i knoppen."

§ 2. En yngling rusar vild och yr
Till månget kärleksäfventyr —
— Hin vete, hvad som piggat opp'en
Men om han ej tar sig i akt
Han kufvas snart af hymens makt:
Det gäller vara "klar i knoppen".

§ 3. Du sitter uti vänners lag
Kanske en natt till ljusan dag,
Då väntar gumman dig med "moppen",
Om nota bene du är gift;
Men har du följt min föreskrift,
Du undgår juling, "klar i knoppen".

§ 4. Far varsamt med buteljen fram
Vid ystert skämt och muntert glam
Och lyft för ofta ej på proppen!
Där lurar månget doldt försåt:
En dag det kommer efteråt,
Då man bör vara "klar i knoppen".

§ 5. Och tar du liksom på försök
       På morgonen en kaffegök —
       Häll ej för mycket starkt i koppen!
       Ty kanske, om den göken gal,
       Du hör till gal-ningarnas tal —
       Nej: håll dig städse "klar i knoppen"!

DET STUNDAR TILL VÅR

Se, vintern, den busen, har flyktat sin kos—
    Det var ej för tidigt, minsann —
Och snart liten sippa och doftande ros
Ska' prunka så skiftande grann
I ljusgrön kostym hvarje skogsdunge står,
            Det stundar till vår.

Nu dud och dudinna gör' vårtoilett
Från moderna a la Paris.
Och den, som behagar, han tar sig en skvätt
Af bockbeer och ger det sitt pris.
Nu stinker det ur hvarje afskrädeslår,
            Det stundar till vår.

I parkerna svärma de barnjungfrur små,
Så svaga för "stilla kurtis",
Och ofta en herdestund glädtigt de få
Med någon Adonis-polis;
Men vinden så ljum genom buskarne går,
            Det stundar till vår.

På börsen det råder ett hiskeligt lif,
Där säljes en kommande skörd.
Af allt detta skrän, detta fasliga kif
En oinvigd snart blifver "rörd";
Men farmaren nu först sitt vårhvete sår,
Det stundar till vår.

Nu fejas i hydda och uti palats
Med möda och bråk och besvär,
Och mången det finnes, som byter om plats;
Ty hyran förfallen ju är,
Och se'n — första maj är ju här på ett hår.
Det stundar till vår.

Och trånande kärlek i människobröst
Nu sjuder med svindlande fart.
Att Amor som vanligt ger lisa och tröst —
Ja, det är ju tydligt och klart.
Hvar yngling så skönt med sin tillbedda mår — —
Det stundar till vår.

DET BLIR EN ANNAN SAK

Om hustrun honom ber en dag
Att följa med till matiné,
Han svarar: "Kan det ej, ty jag
Har brådt, som du kan se."
Men samma dag med en god vän
Han sitter under "bleecherns" tak
Och ser på bollspelstäflingen —
Det blir en annan sak.

Att gifva käjsarenom sitt
Och gudi sitt, han ifrar för
Om hur att "boodlers" blifva kvitt,
Man honom skräna hör
Men då assessorn "kommer rundt"
Försöker han att med god smak
För denne prata idel strunt —
    Det blir en annan sak.

I tungan är han städs så hal,
Ej fula ord från honom gå,
Och onda andar, tusental,
Han aldrig kallar på.
Men när på bicykel han är,
Och gummiringen blifver slak,
Om då en hisklig ed han svär —
    Det blir en annan sak.

Och uti trakten där han bor,
Där gäller han för nykterist.
Som kyrkomedlem är han stor,
Det är då sant och visst.
Men då han sent en kväll i sta'n
Sig super full liksom ett vrak,
Och man i droska hem får ta'n —
    Det blir en annan sak.

AMERIKANSKAN

I.

Fall neder och tillbed, du "otäcka" kön,
Den sköna, som tror sig från ädlingar stamma,
Som hånler emot dig, så trotsande skön,
Med yankee till pappa och yankee till mamma.

Knappt slynåren flyktat, så varder hon "miss",
Är smärt omkring lifvet som pingstliljans stängel,
Men stolt i sitt sinne, det är hon — var viss,
Ty tillbedd hon blir som den renaste ängel.

Och ger du i spårvagnen henne din plats,
Om än du är trött, så att lemmarne värka,
Så har det dock ännu i fråga ej satts
Att hon skall din artighet någonsin märka.

Än bär hon ett bref i sin handskprydda hand
Och söker i breflådan det transportera.
Hon kan ej; du skyndar med hjärtat i brand
Att hjälpa, men hon skall dig ej observera.

Och om hon sig nedlåter till att bli gift,
Så blifver hon husbonde, mannen blir piga,
Men skulle han någonsin gå uppå vift,
Det straff han då får — ja, det vill jag förtiga.

En dans uppå rosor, det är hennes lif,
Tack vare blott "yänkarnes" afgudadyrkan,
En amerikanska jag ej tar till vif,
Det sant är och säkert som amen i kyrkan.

Fall neder och tillbed, du "otäcka" kön,
Den sköna, som tror sig från ädlingar stamma,
Som hånler emot dig så trotsande skön
Med yankee till pappa och yankee till mamma.

II.

Af allt det härliga vi få
  Att lifvets vandring lätta
Jag valt, och jag är säker på
  Att jag valt ut det rätta:
En flicka skön om 17 år,
  Amerikansk fullständigt
Med fin figur och vackert hår,
  Som är lagdt upp behändigt.

Hur säll är ej den ungersven,
  Som lyckas henne vinna!
Den lyckligaste ibland män
  Förvisst skall han sig finna.
Hon är så trogen, öm och kär,
  Så innerligt sympatisk,
Men likväl synes att hon är
  Ej alls aristokratisk.

Se in i hennes ögonpar,
  Om du kan detta våga,
Men, unge man, försiktig var;
  Du råkar lätt i låga;
Ty himlens ljus du skådar där,
  Som ljuf förtrollning bringar,
Och flickan själf en ängel är,
  Om ock hon saknar vingar.

Lycksalig är väl den nation,
  Som alstrar slik en kvinna:
Ej fins i någon annan zon
  En sådan huldgudinna.
Jag strida vill för denna skatt
  Med mod likt det japanska,
Men först och främst just därför att
  Hon är amerikanska.

ÖFVERSÄTTNINGAR

OCH

BEARBETNINGAR

EN AF DE FÅ

Från norskan efter John Benson

Han bar henne stolt på sin starka arm
Öfver motgångs strömmar och världens harm
Och, trotsande fördom, han sågs henne bära
Från de fallnas läger till dygd och ära.

Han tog henne upp, då hon ångrande låg
Som ett brustet rö för den vreda våg,
Och tidens fromhet hans gärning dömde
Som vanvett af en, hvilken hedern glömde.

Dock, den som fallit på lastens lopp
Kan åter resas af kärlek opp,
Och tron det var, som nu krafter sände
Och hoppets stjärna i mörkret tände.

Men långt därefter så mången gång,
Då vägen ofta blef svår och trång,
Då var det h o n, hvilken h o n o m stödde,
Om gången saktats, och foten blödde.

Hvad gör väl stämningen ljus och säll
Kring hans stilla läger den sista kväll?
Hvi djärfs han frimodigt gå till möte
Den tysta näjden i grafvens sköte?

Han bar henne högt på sin starka arm
Öfver motgångs strömmar och världens harm;
Nu sitter hon huld uti kvällsolsglöden
Och lycker hans ögon till ro i döden.

GETHSEMANE

Från engelskan efter Ella Wheeler Wilcox.

I ungdomsglansen syns vår jord
Ett sommarland, där fröjd blir spord,
När glad är själen, hjärtat lätt,
Och ingen skugga än sig tett.
Dock fins, fast fjärran från vår syn,
Beskuggad utaf aftonskyn
En plats, vi alla måste se —
En örtagård, Gethsemane.

Med glada steg vi gå framåt
Med kärleksgloria på vår stråt;
Små sorger fly som moln förbi
Och gladt af styrkan skryta vi.
Framåt vi skynda — och en rand
Vi skönja utaf sorgens land,
Som skall för dig och mig sig te —
Det väntande Gethsemane.

Bland skuggor floder ha sitt lopp
Med broar utaf gäckadt hopp,
Långt bortom år, som flyktat hän,
Och sorgetårarnes fontän —
Där ligger landet — och för dig
Det skall sig visa på din stig.
Hvar väg som fins, hvar kommande
Når någonstäds Gethsemane.

Hvar vandringsman, om sent, om fort,
Må ock passera platsens port,

Må böja knä i mörkret där
I striden som förtviflad är.
Guds misskund, om du ej förstått:
"Ej min men din" och beder blott:
"Tag kalken bort!" och ej kan se
En afsikt med Gethsemane!

DELILA

Från engelskan efter Ella Wheeler Wilcox.

I midnattens mörker, förfärligt,
  Då närmre min Gud jag vill nå,
Helt bortvänd från felstegen ärligt
  Och syndernas väg, jag setts gå,
Gestalter, jag önskar fördrifva.
  Mig nalkas, påminnande än;
Jag beder och de sig begifva
  På flykten, men dock icke en.

Densamma som leende strålar
  Likt sol, som på middagshöjd gick,
Just den, som förtrollande prålar
  Med älskvärd och drömmande blick,
I sydländsk förtjusning sig närmar
  Att dåra med sina behag.
Min själ ifrån plikten sig fjärmar
  Att sola sig i hennes drag.

Hon vidrör min kind, och jag skälfver,
  Jag darrar af smärta, så svår;
Hon suckar — likt flod, som sig hvälfver,
  Mitt blod genom ådrorna går;
Hon småler — och likt en tigrinna,
  Som kelar med ungarnes hop
Så famnar jag eldigt min kvinna
  Och kysser — med bäfvande rop.

Jag glömmer på kärlekens höjder
  Min Gud och vår värld i dess lopp,
Och åter i syndernas fröjder
  Försvinner mitt evighetshopp.
Ej något min själ har cederat,
  Då jag drömbilden har vid mitt bröst;
När hon kysser mig ömt, passioneradt,
  Mitt lif får den rikaste tröst.

O, spöke af synderna grymma,
  Tillbaka till jord! är mitt bud,
För dyrbar att ånger ens rymma,
  Du står mellan mig och min Gud.
Och får jag vid tronen dig skåda,
  Och din blick ger mig kärlekens lön,
Tätt, tätt jag dig famnar, och båda
  Då sjunka till afgrunden skön.

ENSAMHET

Från engelskan efter Ella Wheeler Wilcox.

L e, och med dig ler världen,
    Gråt, och du gråter alle'n
Ty vår jord alltjämt må låna sitt skämt
Men har egna sorger re'n.
Sjung och dig bärgen svara
    Sucka och bort det dör,
Ty ekot ger bud om ett glädtigt ljud
Men är stumt inför sorgers kör.

Gläds, och dig mänskor söka,
    Sörj, och de fjärma sig.
De önska fullt mått af all fröjd du fått,
    Men din sorg, den lämna de dig.
Var glad — du får många vänner,
    Var sorgsen, och alla gå —
Ingen är för fin att försmå ditt vin,
    Men själf skall du gallan få.

Gif fäst — och salarne fyllas;
    Svält! — Man dig bjuder adjö;
Haf framgång, gif — det hjälper ditt lif,
    Men ingen kan hjälpa dig dö.
Det fins rum uti nöjets salar
    För en skara, fin och lång,
Men en och en må vi vandra se'n
    Genom smärtans trånga gång.

HVARFÖR?

Från engelskan efter Ella Wheeler Wilcox.

H vi föds på nytt vår sorg på drömmars stig
Och öppnas läkta sår med tidsrevy?
I natt jag drömde i min sömn om dig.
Min gamla kärlek väcktes — den blef ny
Och frodades på blickar, kyssar, ord
Likt vattnets silfverpärlor i en ström,
Likt älsklig fågelsång, i skogen spord —
      En dröm — en dröm.

Och åter uppå scenen rosenröd
Sig korsets dystra skugga syntes te,
Som skiljer alltför varma hjärtans glöd
Och vill för kval och saknad varning ge.
Jag åter såg dig skiljas från mig så
Som fartyg våldsamt skiljas i en ström
Mitt hjärta åter slets af strider då —
      En dröm — en dröm.

Där slöts jag åter af den svarta natt
Och famlade i sällsamt brus jämväl
Af mörkaste förtviflan gripen fatt
Som kommer blott en gång till någon själ.
Rädd ropte jag ditt namn med höga ljud;
För blicken ohöljd stjärnan lyste öm
Och vaken skrek jag: "Lofvad vare Gud
      En dröm — en dröm!"

HVART HÖR DU?

Från engelskan efter Ella Wheeler Wilcox.

Det fins tvänne slags folk på jorden i dag,
Blott tvänne, ej flera, försäkrar jag.

Ej helgon och syndare — ofta man fann,
Att bägge till hälften likna hvarann.

Ej rika och fattiga; gradmärket där
Är att finna, hur hälsan och samvetet är.

Ej stolta och ödmjuka; visst är försann,
Att den, som är fåfäng, ej räknas för man.

Ej glada och sorgsna; de flyende år
Åt alla nog bringa båd' löje och tår.

Nej; bägge de slagen, på jordrunden strödda,
Äro dessa. som lyfta, och de som bli stödda.

Och jordens befolkning, hvart hälst du må gå,
Är uppdelad just i de klasserna två.

Och märkvärdigt nog skall du finna att blott
En lyfter bland tjugo, som stöd hafva fått.

Hvad klass hör du till? Gör du bördan väl lätt
För dem, hvika lyfta i möda och svett?

Eller hör du till dem, som åt andra må ge
Sin del utaf arbete, möda och ve?

HVEM ÄR KRISTEN?

Från engelskan efter Ella Wheeler Wilcox.

Hvem är väl kristen i vårt kristna land
Med många kyrkor och med höga torn?
Ej han som sitter uti kyrkbänk mjuk
Betald med vinning snöd från gudlöst värf
En bild af andakt — tänkande på vinst.
Ej han som vänder läpparne till bön.
Men ljuger nästa dag på gator, torg,
Ej han som göder sig på andras värk
Ger fattigman sin rikdom, oförtjänt,
Med lönnedsättning hjälper hedningen,
Och bygger tämpel upp med hyra höjd.

* * *

O, Kristus! Med din kärlekslära stor
Hur tröttar dig ej hvarje "kristen" sekt,
Som frälsning kan predika i ditt blod
Och lägga planer dock till nästans död!

* * *

Hvem är då kristen? — Det är en, hvars lif
Är bygdt på kärlek, mildhet och på tro —
Som i sin broder ser sitt eget jag,
I strid för jämlikhet och rätt och frid
Men ingen afsikt döljer i sin själ.
Som ej med allmänt godt har harmoni.

* * *

Om hedning, kättare, israelit —
Den mannen kristen är och Kristus kär.

DEN SORGLIGASTE STUNDEN

Från engelskan efter Ella Wheeler Wilcox.

Den sorgligaste stund, som ängslan bär,
Är icke djupaste förtviflans stund,
Då ej vi finna ljus på jordens rund
Att skingra korsets mörka skugga här —
Ej när i öfverflöd på sorger än
Vi under tårar gallan dricka må
Från flydda dagar, vi ej återfå,
Med svunnen fröjd som kommer ej igen.

Men när med blick som mer ej dimhöljd står
Vi skåda ut bland vida världens män,
Och gladt om morgondagen hopp förnimma
Men plötsligt studsa under ledsnad svår
Och finna att till glömska själen trår —
Ack, då vi ha vår sorgligaste timma!

UPPVAKNANDE

Från engelskan efter Ella Wheeler Wilcox.

Helt långsamt folket vaknar, hvilket var
Som trötta stridsmän sofvande i tält;
Förrädare i lägret smögo kring
För plundring böjda. Plötsligt af ett ljud,
Ett felsteg af en allt för dristig tjuf,
En väckes, och en annan rör sig se'n,
En tredje ger en varning, och till sist

Har folket vaknat! Ack, när såsom en
Förenta, raskt de många resa sig
Med RÄTT som valspråk, återspegla de
Den starka kraften i Guds allmakt stor,
Och intet står emot dem. Snikenhet,
Tyrannisk korruption, som länge rådt,
Och hyckleri (hvars högra hand tar rof;
Dess vänstra guld åt kyrkan, skolan ger)
Samt monopol, som tog vår Moder Jord
Från mödan, så att lättjan hvila kan
Och alstra fram vidundret rikedom —
Allt detta falla skall för all den kraft,
Som fins i folkets harm. Den gamla strid,
Som stämplar seklens framåtskridande,
Krig mellan rätt och makt utkämpas än —
Skam den, som ej sin plats i ledet tar!

Tidsåldrars viktigaste ögonblick
Är inne, och på stundens frågor blott
Nationens heder liksom landets fred
Och folkets framtid, världens ock, bero.

Till dess lifsfrågorna för dagen ha
Fast lösning fått, och hvar slösaktig tjuf,
Som skatten tar från sparsam arbetsman,
Från fina fäster leds till fästningskost
Och lär att ärbar id ger skonsam nåd —
Tills arbetsmannen fordrar mödans rätt,
Och mödan delar frukten af sitt värk,
Må ingen sofva — ingen våga det!

JAG DRÖMMER

Från engelskan efter Ella Wheeler Wilcox.

Jag drömmar har. Om lifvet drömmer jag
  Ibland i ordets fulla mening ock;
Om dess musik, som få ha hört, ändock
Den spörjs i jordens äflan hvarje dag.
Dess bärg, af vinden kyssta, hvilka stå
  Med sköna toppar, höjda ofvan jord;
  Dess skatter, där ej tidens rost var spord,
Dess gröna haf, dess bärgkristaller blå,
  Dess vissa ändamål, dess lugna frid,
  Dess nytta, som för sorgen ej har tid —
  Det är min dröm om lifvet.

Uti min dröm sig ofta kärlek ter,
  Likt stjärnan lysande och prålande,
  Orubbligt som den ljuskraft strålande,
Som glans åt rymdens vida världar ger.
Stark liksom stormen, förr'n du hör dess dön,
  Och vred den rasar; djup liksom det haf,
  Som åt försvunna världar grafven gaf.
Som födseln sorgsen och som döden skön,
  Så varm som känslig själ sig önskat re'n,
  Men helig som på grafven månens sken —
  Det är min dröm om kärlek.

En dröm, som ofta återkommer, är
  Välsignad och hugsvalande och skön
  Med säkra löften städs om hvilans lön,
Gudomligt lugn, hänryckning, ytterst kär,

När detta under, ursprung till all tro,
    Ett något visst, som efter ljuset trår,
    Likt vilsna barnet, som i natten går,
Mysterier löser, som i döden bo,
    Och finner evig framgång eller blid
    Och ljuf, behaglig hvila för all tid —
    Det är min dröm om döden.

TVÅ SYNDARE

Från engelskan efter Ella Wheeler Wilcox.

En yngling illa försyndat sig
    Och tanklöst vikit från dygdens stig —
    Är hjärnan sansad och hjärtat lugnt
    När blodet sjuder så friskt och ungt? —
På ungdomstiden det snart blir slut
Och då är bäst att ha rasat ut.

Men brottets bana han drog sig från,
En återkommen förlorad son.
    Hvar kristen öppnade gladt sin dörr,
    Han mera välkommen var än förr,
Och guld samt ära han vann väl se'n
Och fick till maka en mö, så ren.

    Och blomster strödde man för dem nu
    Med "Gud välsigne de unga tu!"

En ungmö äfven försyndat sig
Och tanklöst vikit från dygdens stig
    Med mer passion än förstånd och vett,
    Och blindt hon följt, hvarest kärlek ledt,
Men kärlek, tygellös, allt begär
Och som ledsagare farlig är.

Hon gjorde bättring, blef god som förr,
Men ingen öppnade då sin dörr,
    Och prästen bad och gaf goda råd,
    Men blott hos Gud fanns för henne nåd,
Ty så är regeln — det veta vi:
Då kvinnan stenas, går mannen fri.

    En modig karl blef dock hennes man,
    Men nåd för världen hon aldrig fann.

NÖDVÄNDIGHET

Från engelskan efter Ella Wheeler Wilcox.

Nödvändighet jag dig som ovän dömt,
   Du kalla, hårda dam med bistra drag.
Nu då jag ej dig ser, jag dock ej glömt,
Du var en vän af oförvitligt slag.

Och mina bästa värf min högsta flykt
   Med vingad fantasi var ditt värk blott ;
Din barska röst till bärgets topp mig ryckt;
Din efterhängsenhet har allt förmått.

Om ej det varit för din andedräkt
   Min lefnadsgnista slocknat visst till slut.
Om du med piskslag ej mig hade väckt
Min egen styrka ej jag mätit ut.

Om du ej hållit grym kontroll med makt
   Uppå mitt lif jag nog förtviflat här.
Jag aldrig gräft i själens djupa schakt
Och funnit några skatter dolda där.

Fast samma mål ej för vår vandring fanns,
   Och kanske dig jag mer ej skådar än,
Jag för din hjässa virat denna krans,
   Att andra ock må känna dig igen.

BÖNHÖRELSE

Från engelskan·efter Ella Wheeler Wilcox.

Jag bad om rikedom, fick framgång stor;
Allt hvad jag rörde vid blef guld — och se.
Bekymren ökades, och friden for,
Då så det syntes ske.

Jag bad om ära, hörde så mitt namn
Af män besjungas och af barnen små.
Men ack, hvad smärta uti ryktets famn!
Jag var ej lycklig då.

Jag bad om kärlek och fick mer än nog.
Igenom hjärta, kropp och hjärna då
Förtärande en vådeldsflamma drog —
Blott ärren återstå.

Jag bad om ett belåtet sinn'. Till sist
Stort ljus uti min mörka håg sig tett,
Stor frid jag fatt, stor styrka äfven visst —
Om först jag så blott bedt!

ODÖDLIGHET

Från engelskan efter Ella Wheeler Wilcox.

Odödligt lif är någonting, som vins
Med långsam själfbehärskning, smärtans slag
Och spaning efter högre sanningar.
Ej egen nyckfull önskan följe vi
Att tillfredsställa lägre böjelser
Samt ge dem fria tyglar år från år
Och sedan ropa: "Gud, förlåt! Jag tror,"
Och ärekrönas. Lära måste vi
Att Guds system är allt för stort för slikt.
I hvarje själ en gudagnista fins,
Som till en flamma underblåsas kan,
Hvars glans belyser grafvens dunkla stråt
Och stråla skall för evigt — men om vi
Försumma gnistan, tills hon slocknar ut,
Hon grafvens mörker endast lämnar oss.
Hvar undertryckt passion ger flamman lif,
Hvar sorg, om ödmjuk, är ett steg mot Gud.
Ej räddar tro, ej återlösningsblod
Den själ, som envist ej besluter sig.
Förtrösta på dig själf, men bed likväl,
Ty det fins andar, ljusets sändebud,
Som nalkas att din kraft förstärkning ge.
Blif vän med dem och med ditt inre jag,
Förkasta afund, bitterhet och hat
Och håll ditt sinnes sköna tämpel rent;
Välkomna smärtan, hälsa sorgen gladt,
Förklädda änglar bägge — och din själ
Från höjd till höjd i stjärnehvalfvets ljus
Sig svinga skall till skön odödlighet.

SÖMMERSKAN

Nu lyser det en lampa bak' en söndrig gardin,
   I fönstret, där pråla buketter,
Och hon håller dryckeslag med männer och vin,
Och störda bli grannarnes nätter.
Det är icke som förr, då hon arm var men fri,
Då symaskinen surrade liksom ett flitigt bi
Till på kvällen, då tröttheten slog henne.
Då hade hon det smått, fast hon icke led nöd;
Men krafterna sviktade — och krafter, det är bröd —
Och så hände, att frestelsen drog henne.

Förr satt hon vid sitt arbete dag efter dag,
Men fick knappast sin utkomst förnimma.
Nu vinner hon guld, om blott hon gör ett slag
På gatan i aftonens timma.
Hvad har hon väl förlorat? — blott en smul renommé,
En fattig flickas ära, som dock ingen kan se,
Som man tviflade på existerade.
Nu har hon fina smycken och börsen så full
Samt allt det stora bländvärk af yppigt lull-lull,
Som dumheten städs respekterade.

Det händer dess värre att offrenas rad
Så småningom varder förstorad,
Men det märkes ej stort i den vimlande stad,
Om en själ då och då går förlorad.
Men alla dessa mänskor med höga ideal,
Dessa sedlighetsväktare med söndagsmoral —
Hur är det att städse det hände

Att med sin moral och med nitet så rent
Tyvärr allt för ofta de komma för sent —
Först då kampen är kämpad till ände.

Det är vid den glädtiga, yrande fäst,
Hvarest syndare sorglöst sig samla
Som moralen har tillfälle invärka mäst
Ibland laster, inrotade, gamla
Det är där, hvar det sitter en vacklande själ
Med värkande hufvud, en arbetets träl, ·
Och mot guldet väger sin ära.
Det gäller bevisa mot lockande flärd
Att en sömmerskas ära är räddningen värd,
Förrän synderskans skrud hon må bära.

BOERN OCH HANS SON

Från tyskan

Nu i Transvaal, uti boerland
    Står frihetsflamman så högt i brand,
Och boern strider för eget hem
Emot förtryckaren, grym och slem.

Men uti skäggiga boers led
Sig tränga hurtiga gossar med —
Äkta trotsande boerblod,
Ögon som lysa af hjältemod.

* * *

"O, fader, låt mig med dig få gå
Att grundligt fienden nederslå,
På springarens rygg jag ju hemma är
Och kan handtera ett stort gevär." —

"Du är, min Pieter, blott tretton år,
Och helt allena din moder står.
Hvem skyddar henne väl nu till slut,
Då dina bröder till strid gått ut?" —

"O, låt mig följa dig blott, min far!
Min syster Antje ju mor har kvar.
Hon skjuter präktigt, har mod i barm.
Om vildar hota vår gamla farm."

En darrning genom den gamle lopp.
"Så hämta din pony och sätt dig opp,
Och säg farväl, förr'n du drager bort,
Men skynda! — tiden du vet är kort."

Och Pieter ligger vid moderns bröst.
"Farväl, min gosse, mitt hopp, min tröst....
Du, Antje, en fjäder i hatten sätt!
Farväl, min älskling — och sikta rätt!"

*   *   *

Vid Elandslaagt det en drabbning stod.
Där lyste boernas hjältemod.
Tre tusen briter till anfall gått —
Sjuhundra boers emot dem stått.

Förbi var striden, men där den brann
Låg vän och fiende om hvarann. —
En engelsman öfver fältet skred
Att vänner söka i fallna led.

Då ser han liggande, där han går,
En kämpagestalt med silfverhår,
En boer utaf det äkta slag,
Men med af smärta förvridna drag.

Med bröstet sargadt han andas dock än,
Hans blick, snart slocknad, far späjande hän,
Och när som briten han nalkas ser,
Med brusten stämma han honom ber:

"Ack, stanna, främling, och hör min bön.
Jag dör för frihet — en död så skön;
Men förr'n jag gäldat naturen dess lån,
Gå, främling, och uppsök min fallne son!

Han är blott ett barn, men han stred som en man—
Gå, hämta honom, så snart du kan,
Att åter hans anlet' jag skåda får,
Förrän jag gamle ur tiden går.

Han stred vid min sida, där kampen stod,
Hans unga hjärta var fullt af mod.
På fältet där,.då han tapprast stred,
Jag — såg honom — — vackla — och signa ned."

Stum briten gick, men ej långt han hann,
Förr'n gossen död han i gräset fann.
Geväret slutet i handen var,
Men ingen patron fans i bältet kvar.

Han låg som i drömmar, men blek och kall,
För vinden lekte hans lockars svall.
Bredvid låg hatten, där briten stod,
Men Antjes fjäder var röd af blod.

Och briten, härdad, med ens blef vek.
Den lille krigaren, stum och blek,
Han bar och lade vid faderns bröst,
I dödens stunder hans sista tröst.

Den gamle famnar sitt barn så tätt
Och smeker kinderna varsamt lätt.
På munnen, trotsande, hotfull nyss,
Han trycker en glödande sista kyss.

"Min Pieter, min älskling, som Gud min gaf,
Så få vi då hvila i samma graf!
Flyn, briter, i döden om hämd jag ber — — —
Min gosses blod komme öfver er!"

Då brast hans öga, stum blef hans röst,
Men tryckt han var intill sonens bröst.
Och solen sjönk bortom bärg och dal — — —
Gud skydde Oranje, Gud skydde Transvaal!

EN LITEN FLUGVISA

Efter "Youths World"

Två små flugor jag tydligt kan se;
En har jag dödat — nu äro de tre.

Tre små flugor nu surra så yra
Två har jag dödat — nu äro de fyra.

Fyra små flugor — jag knäpper nog dem,
Tre har jag dödat — nu äro de fem

Fem små flugor, men en snart knäcks;
Fyra jag dödat — nu äro de sex

Sex små flugor — bevars väl, hu!
Fem har jag dödat — nu äro de sju.

Sju små flugor — nu rätt skall jag måtta;
Sex har jag dödat — nu äro de åtta.

Åtta små flugor — o, helige Pio!
Sju har dödat — nu äro de nio.

Nio små flugor, en tredubbel trio;
Åtta jag dödat — nu äro de tio.

Hu! jag vill upp, jag vill hän, jag vill ut,
Annars bestämdt får jag "flugan" till slut.

DEN KLOKASTE

Från tyskan

Hon var en jungfru helt klok försann
Samt dessutom rik och fager.
Hon hade så mången fästeman,
Men hvar och en det beskedet fann:
Den klokaste blott jag tager.

Hon ställde frågor till hvar och en
Och gaf dem gåtor att lösa.
Rätt svarade mången i början, men
Allt svårare frågor hon ställde se'n
Och syntes af öfvermod pösa.

Då kom en yngling, som glädjen bar
I bildsköna anletsdragen,
Och stark och tapper och klok han var,
På hvarje fråga han gaf rätt svar —
Då kände sig jungfrun slagen.

En sällspord glans hennes blickar få:
"Du har mig vunnit som maka." —
"Om dig jag toge," han svarar då,
"Den klokaste icke jag kallas må,"
Och stolt han drar sig tillbaka.

TILL VÅREN

Från tyskan efter Friederich von Schiller.

Välkommen, fagra yngling,
  Med glädje bland oss spord,
Med dina blomsterkransar
  Välkommen till vår jord!

Ack ja! Här är du åter,
  Så skön du ses dig te,
Och vi af hjärtat glädjas
  Att åter dig få se.

Du tänker på min flicka?
  Ja, tänk på henne, du.
Hon länge har mig älskat
  Och älskar mig ännu.

För henne många blommor
  Begärde jag af dig,
Och nu jag beder åter —
  Du ger dem nog åt mig?

Välkommen, fagre yngling,
  Med glädje bland oss spord,
Med dina blomsterkransar
  Välkommen till vår jord!

BLOMMORNA

Från tyskan efter Friederich von Schiller.

Solens barn, som marken smycka,
   Blomsterskatt, som fägring ger,
Blott till ljuflig fröjd och lycka
Har naturen danat er,
Skönt er dräkt med ljus broderat,
Skönt har Flora den garnerat,
   Härlig färgprakt på er satt.
Fagra blommor, barn af dagen,
Själ I saknen dock — o, klagen!
   Floras egen bor i natt.

Fåglar små för eder sjunga
   Gladt om kärleks sköna lott,
Fladdrande sylfider gunga
   Giljande på edra skott.
Edra blomsterkalkars krona
Hvälfts af dottern till Diona;
   Praktfullt hvarje drag sig ter.
Gråten, späda blommor, gråten!
Kärlek har, trots denna ståten,
   Dock gudinnan vägrat er.

Men om Nanny mig fördömer
   Än med blickar, än med ord,
Då jag plockar er och gömmer
   Som det skönaste på jord,
Lif och språk och själ och hjärta,
Stumma bud om ljuflig smärta,
   Er beröring dock mig skänkt.
Och den högste, störste guden
Till den fagra blomsterskruden
   All sin höga gudom skänkt.

ÖFVER TRÄDGÅRDSMUREN

"Over the Garden Wall"

Från eugelskan

M in flicka hon står uppå grönan stig
Bakom sin trädgårdsmur.
Hon hviskar kärlek och tro till mig
Öfver sin trädgårdsmur.
Med underskön blick och böljande hår,
Hon är ej så lång; på en stol hon står
Och ofta af henne jag kyssar får
Öfver den trädgårdsmurn.

Refräng: Öfver den trädgårdsmur
I kärlek har jag tur
Slikt ögonpar nätt
Jag aldrig sett,
Och med all rätt
Jag glömmer ej lätt
De kyssar, som hon mig har gett
Öfver den trädgårdsmurn.

Men fadern, han stampar och fadern svär
Bakom den trädgårdsmurn;
Ty mot vår förening han städse är
Öfver den trädgårdsmurn. —
En kväll, när i trädgårn bland rosor hon gick,
Jag stack upp mitt hufvud och nicka en nick;
Men strax af gubben en kalldusch jag fick
Öfver den trädgårdsmurn.

Refräng: Öfver den trädgårdsmur, etc.

En dag dock jag hoppade raskt dit in
    Öfver den trädgårdsmurn,
Och modigt hon lofvade att bli min
    Öfver den trädgårdsmurn.
"Men där kommer pappa," i hast hon skrek
"Med käppen han nog skall straffa vår lek."
Jag fick några rapp, så jag flög och skrek
    Öfver den trädgårdsmurn.

   Refräng: Öfver den trädgårdsmur, etc.

Men allting sig böjer för viljans lag
    Öfver en trädgårdsmur,
Och natt faller städse, så väl som dag
    Öfver en trädgårdsmur.
Ty gladeligt gifte vi oss dock med tur:
En kväll, när som gubben han tog sig en lur,
På stege hon kilade ut ur sin bur
    Öfver den trädgårdsmurn.

   Refräng: Öfver den trädgårdsmur, etc.

TILLÄGG

TIDNINGAR

Ibland den själaspis, som fins på jorden,
  Nog äro tidningarne numro ett;
Och prässen är en väldig stormakt vorden,
Hvars värkningar man skönjer vidt och bredt.
Till arma hyddor, prydliga salonger
Sig tidningarne bana väg i dag
Med nyheter, med skämt och följetonger,
Poem och ledare af skilda slag.

Man läser än det ena, än det andra —
Ja, några se igenom hvarje spalt —
Man finner skäl att rosa, skäl att klandra
Beroende på smak och styckets halt
Men fast man innehållet i sig suger
Har man ju bladet kvar (om man det spar)
Och se'n förvisst till mångt och mycket duger
Ett genomgånget tidningsexemplar.

I nödfall duger det — jag sett det ofta —
Att fästa framför fönstret som gardin.
Än som turnyr inunder kjol och kofta
Det gagnar mången dam, så skön och fin. —

En af dess allra lyckligaste lotter
Är, då en fager tärna tar det dock
Och rifver sönder det till papiljotter —
Ett enkelt lock-bete för männers flock.

När stundom det är kallt af bara attan,
En tidning värmer innanför din väst,
Och när man lägger på den nya mattan,
Ett underlag af tidningar är bäst. —
Hvar skulle pojkarne få sina drakar,
Om gamla tidningar det icke fanns?
Ja, "lunchen" från vårt hem, som bäst oss smakar,
Läggs städse i en tidning in med glans.

Man kläder hyllorna i skafferiet
Med tidningar, om man är klok och snål. —
Ja, prisadt vare tidningsskrifveriet
Och tidningarnes många ändamål! —
Jag gifvit, som jag tror, bevis så klara
Och kunde ge er ännu flera prof
Att gamla tidningar man bör bevara.
Ty de ä' bra för många husbehof!

DEN ÖMHJÄRTADE

M iss Clara var, uppå min ära,
Af godhet just en liten skatt,
Och därför slutade hon bära
Af fåglar något på sin hatt.

Ej häller fjäderboa bar hon.
Fast hon på slikt ej hade brist,
Och klädd i pälsvärk aldrig var hon,
Så ömmande för djuren visst.

Ej ville kött hon mer förtära
Af fågel, fisk och andra djur.
Hvad mera kan man väl begära?
Hon var en ängel — eller hur?

I ylle hon sig aldrig klädde
Blott för de stackars fårens skull,
Ty smärta nog det dem beredde
Att plundras på sin varma ull!

Så strängt, förvisst, hon kunde dömma,
Att siden hon ej häller bar.
För silkesmasken sågs hon ömma,
Ty synd om denne nog det var!

Och bomull se'n! Ej fanns det tvifvel,
Att det var synd att nyttja den.
Ty blott för hvarje bomullsvifvel
Den alstrad var af Skaparen.

Och därför liksom moder Eva
Hon klädde sig till sist en dag.
På bär och frukter sågs hon lefva
Och äfven rötter, skilda slag.

Men var väl icke denna föda
För mask och insekt skapad väl?
Med svält hon dem ej kunde döda,
Och därför svalt hon själf ihjäl!

"SOMMARFLICKAN"

Han mötte henne i vårens dag,
Då majsol lyste från fästet blå.
Hon vann hans hjärta med mildt behag;
Ty hon var fager som få.

Till hennes fridfulla, enkla tjäll
Hvar afton gick han så glad i håg,
Och öfverlycklig och himmelskt säll
Uti hans armar hon låg.

Af pängar hade han fickan full,
Var liberal som en man "af ton" —
Ja, om han kunnat, för hennes skull
Han offrat en hel million.

Teatrar, baler och picnics — allt
Hon njöt utaf uti fulla drag.
För henne veckan tog snart gestalt
Af en, en lycksalig dag.

Små exkursioner till sjös och lands
De företogo de unga två;
Ty städs var älskaren raskt till hands
Att lust-turer finna på.

Presenter slösade han försann
Uppå sin hulda, sin väna mö.
För henne blott han af älskog brann,
För henne ville han dö.

Så flydde månader hän sin kos
På tidens forsande, vilda ström,
Till dess att sommarens sista ros
Sågs slumra på tufva öm.

Då vände lyckan för honom om,
Och hoppet honom så slemt bedrog;
Förty en annan i vägen kom,
Som flickan till maka tog.

En snål, en gammal och tarflig snork,
Som aldrig offrat på henne en cent,
En med ett hufvud som utaf kork —
Det var uti trakten kändt.

Men det var kändt lika väl förvisst,
Att hus och tomter en helan hop
Han gnidit till sig med svek och list;
Som rik han stod nu i rop.

* * *

De skildes åt uti höstens dag,
Då solen doldes af molnen grå.
Ty för den rike hon fick behag:
Hon fal var och falsk som få.

DEN S. K. "NYA KVINNAN"

E tt gladt och ljufligt budskap
Jag nu förkunna vill.
Det är — "den nya kvinnan"
Fins icke längre till.

Hon allaredan tröttnat
På täflingen så svår
Med Adams stolta söner —
Ej mera hon förmår.

Hon blef ju så begabbad,
Att det var synd och skam,
Och öfverallt hon möttes
Med grin, där hon drog fram.

Och alla teorier
Hon låtit fly sin kos
Hon insett, den bör vattnas,
Just hennes lefnads ros.

Att längre härma männen
Hon allt för tråkigt fann;
Men smått hon börjat tråna
Att vinna själf en man.

Hon funnit har omsider
Sin uppgift, hög och stor,
Att Gud har henne danat
Till maka och till mor.

DEN LÄRDE ASTRONOMEN

Han var en gammal astronom
Och höglärd visst som få.
Han var bekant med hvar atom
Däruppe i det blå.
Han intet fann på vår planet,
Som af inträsse var,
Men stjärnsystemets hemlighet
För honom stod så klar.

I fågelns drill, i ängens prakt
Han intet under såg,
Och kärleken med all sin makt
Berörde ej hans håg.
Berömda, ädla män försann
Han aktade ej stort,
Men högt han prisade den man,
Som teleskopet gjort.

Men sol och måne stego opp
(Man därtill märke lagt)
Och gingo ned uti sitt lopp,
Precis när han det sagt.
Han hade ock planeterna
På sina fingrar fem
Och likaså kometerna —
Var viss, han kände dem.

Den gamle mannen dog till slut
Och upp mot höjden drog.

Där kände allting han förut
Förvisso mer än nog.
Och nu med teleskop i hand
Bekikar han vår jord.
Studerande dess haf och land
Med ifver sällan spord.

KURRES HEMLÄNGTAN

Kvällen så tyst öfver bärg och dal
Har bredt sin slöja igen.
Vackra små stjärnor från himlens sal
Sprida glans kring bygderna än.
Klinga, min sång,
Natten lång!
Ingen, ack ingen den visan hör.
Vännen så kär
Fjärran är;
Vinden till henne en hälsning för.
Långt öfver hafvet min tanke far
Till min vän från barndomens dar.

Tiden förgår som en dröm så fort,
Och all fröjd försvinner också.
Ängens små blommor tar frosten bort,
Och hvar våg till slummer skall gå.
Ack, men jag vet,
Evighet
Fins i den kärlek mitt hjärta bär.

Vaknar på nytt
Dröm, som flytt,
Ljus som den tindrande stjärnehär.
Långt öfver hafvet min tanke far
Till min vän från barndomens dar.

Ser jag väl åter, o fosterland,
Dina täcka lunder en dag,
Där som jag lekte vid bäckens strand
Uti vårens friska behag?
Ack, hvarje vrå
Är ändå
Städs för mitt hjärta så dyr och kär.
Lycka så blid,
Fröjd och frid,
Kärlek och glädje vinka mig där.
Långt öfver hafvet min tanke far
Till min vän från barndomens dar.

Kommer jag dit, se'n jag pröfvat på,
Hvad ett lif har bittert och tungt,
Hur skall mitt hjärta ej tjusas då
Och som förr bli lyckligt och lugnt.
Träffar jag där
Vännen kär,
Hon, som beständigt var allt för mig,
Då är jag nöjd, —
Himlens fröjd
Strör hon som rosor på lifvets stig,
Långt öfver hafvet min tanke far
Till min vän från barndomens dar.

ODE TILL E.

Din skönhet ej allen'
    Har fjättrat så mitt sinn;
Ej rösten blott, så ren,
Har tjusat själen min.

Det är ej blickens glöd
Och dina läppars par,
Som vid din fot mig bjöd
För evigt dröja kvar.

Ej har din sköna skatt,
De liljekullar två,
Förmått mitt hjärta att
Af kärlek klappa så.

Ty fägring flyr sin kos,
Och blicken, tjusfull nyss,
Blir mätt, lik vårens rot
Vid frostens första kyss.

Men kärlek, sympati
Och obesviklig tro
I härlig harmoni
Hos ädelt sinne bo.

Du äger detta allt,
Som blifvit min idol,
Och — mer än din gestalt —
Är mina drömmars mål.

Från tidens morgonväkt
Sitt ursprung kärlek har
Och efter dödens fläkt
Den lefver evigt kvar.

VID F. A. LINDSTRANDS AFRESA TILL SVERIGE 1887

För kritik jag nu mig nogsamt värje,
När en sång jag sjunger apropå.
Just när Lindstrand kilar af till Sverige
För att återse dess fjällar grå.
Om nu alltihop blir "illa vuli,"
Kommer detta utan tvifvel från,
Att i går vi hade fjärde juli
Med dess starka knallar, skott och dån.

Du skall resa öfver England, tror ja',
Förutsatt, förstås, om Gud så vill, —
Helsa hjärtligt gamla tant Victoria
Och vår store landsman Buffalo Bill!
Säg åt gumman, att hon oss förlåter,
Om vi hennes dygder missförstått,
Och åt "Billy", att han kommer åter,
När en grefvekrona han sig fått.

När i Göteborg baggbölarkungen,
Oskar Dickson, du har träffat på,
Honom säg, att han bestämdt är tvungen
Till att låta Sveriges skogar stå;

Ty om han och några andra gubbar
Hålla lunken på sitt gamla sätt,
Får till sist mor Svea bara stubbar,
När som gumman gör sin toalett.

Kunglig majestät och rikets ständer
Bör du också ta en hälsning till,
Och Liss Olof Larsons stora händer
Kan du trycka från oss, — om du vill.
Han lär vara uti andra kammarn
Lika mäktig, lika stor i dag,
Såsom fordom Asa-Tor med hammarn
Var i gamla gudars glada lag.

Du bör veta bäst, hvad "tiden lider",
När du satt din fot i Svea land.
Tala om, att vi få bättre tider
Här i våra stater efterhand;
Att vi älska våra gamla minnen,
Fast vår världsdel synes något ny,
Och att vi i trots af "ryske finnen"
Skola få oss en Linné-staty.

Ja, min bror, på resan nu bered dig,
Än en liten "fälknäpp" med oss tag!
Var ej rädd, ty du har doktorn med dig,
Som ser om dig präktigt hvarje dag.
Därför kan ännu ett glas du tömma
Bara för att få en enkel "start"
Och om oss uppå Atlanten drömma. —
Nu farväl — välkommen åter snart!

VID VICTOR HUGOS DÖD

De tystnat nu, din eoisharpas toner,
  Som spredo fröjd och tjusning åt en värld.
Till furstens slott, till arbetsmannens härd
De hittat väg i olika nationer.

Din ande flytt till högre regioner,
Och uppfylld är din önskan, länge närd,
Men dina ord ha gått uppå sin färd
Till hjärtats botten dock hos millioner.

En målsman var du städs för de förtryckte.
Ej skrämde dig den höjda härskarstafven,
Ej störde jesuiterna din tro.

Du folkets skald! Till oss det nått, ditt rykte.
Tack och farväl vi sända öfver hafven
Och önska dig ett enkelt: "Sof i ro!"

INNEHÅLL

315

Blandade dikter.

Öfversättningar och Bearbetningar.

TILLÄGG.